Het godgeklaagde feest

Salamander

Ander werk van Willem Brakman

Een winterreis (roman, 1961)
De weg naar huis (verhalen, 1961)
Die ene mens (roman, 1962)
De Opstandeling (roman, 1963)
De gehoorzame dode (roman, 1964)
Water als water (verhalen, 1965)
Debielen en demonen (roman, 1969)
Kind in de buurt (roman, 1972)
Het zwart uit de mond van Madame Bovary (roman, 1974)
De biograaf (roman, 1975)
Glubkes oordeel & Over het monster van Frankenstein (novelle en essay, 1976)
De blauw-zilveren koning (roman, 1977)
Zes subtiele verhalen (1978)
Vijf manieren om een oude dame te wekken (verhalen, 1979)
Come-back (roman, 1980)

Willem Brakman
Het godgeklaagde feest

Een beeldroman

Amsterdam

Em. Querido's Uitgeverij B.V.

1980

ISBN 90 214 9502 3

The painted Indian rides no more
He stands in a tobacco-store
His cruel face proclaims afar
The terror of a cheap cigar.

Toen de trein langzaam, maar met veel bonken en stoten over de brug reed zag Vogelaar, uit gemijmer opgeschrikt, schuin onder zich een rivier; bij de brugrand loodgrijs en bijna van dezelfde kleur als de geklinknagelde balken, in de verte hard- en bleekgeel.

Buiten het raampje van de coupé was de wereld even niet meer te volgen; het wijde perspectief dat eerst zo traag en rustgevend voorbij was gedraaid stortte rommelend en dreunend ineen achter over elkaar vallende ijzeren balken en opeens was daar dan allemaal water, in de verte wijd en licht, maar dichtbij zwart van diepte.

Ver weg, waar het meeste water was, voeren wat aken, koud en zwart en onbegrijpelijk dapper gelijk knapen die ver van huis gedwaald en tot in alle knoken verkild zich toch niet haastten om naar huis te gaan. Als in zijn kindsheid, onthutst door spoorbruggen en het water daaronder, luisterde de heer Vogelaar naar de geluiden onder de trein; onder het ijle gevoel in zijn maag stulpten assen en wielen in alle richtingen, werden boven het donkere water razend snel dijken en rails geschapen om de trein maar veilig naar de andere oever te voeren en als heel vroeger stroomde hij vol dankbaarheid en sloot hierbij even de ogen.

Een rivier oversteken is toch een gebeurtenis, opgevuld met eeuwen van gegorgel, geklots, veerponten, zorg en ijl ahooigeroep in de regen. De ene oever is de andere niet, het ene land geheel niet gelijk aan het andere en dan – was Jan Willem Friso niet bij de Moerdijk verdronken, gezeten in een koets met rood fluwelen kussens die warm waren van zijn grafelijk zitvlak? De koetsier zat op de bok en riep 'God sta ons bij', want het woord 'genadig' is te lang bij stormweer op een rivier. Goed beschouwd was het vooral een tragedie voor de paarden geweest om zo te versmoren in een wirwar van koets, tuigage en grauw krullend water.

Weer sukkelde land voorbij het raam; heggen en

wegen draaiden rond als grote spaken van een wiel. Echt land ditmaal: sepiabruine velden, blokken dreigend groen. Het viel weer op, zo herboren uit het water; het was land dat men om zo te zeggen kon bekloppen, strelen, er mollen in opschrikken, waar men in begraven kon worden zonder veel gevaar voor vissen, en boven dat land stond de late namiddag, een door de goden verlaten uur waarin het beter was thuis te zijn dan op reis.

Donkerder geel dan boven het water dreef mee over de bezemkale bomen; de zon, vóór de brug nog wit als melk, werd groot, rood en zacht en zocht al een plaats om in weg te zinken. Dan eens dwaalde hij ver achter het linker coupéraam, dan probeerde hij het weer eens aan de rechterkant. In de verte gloeiden al enkele vensters, een ster pinkelde dadelijk mee want de hemel kent geen rust. En de zon daalde maar; dan weer hier, dan weer daar, al naar de steenbok hem hebben wilde. De zon, ingelijst in een schuddend venster voor een zoetjes meeschuddende reiziger, de zon is zo die hij is: weldaad en pestilentie, zegenend en verdorrend. Hij schijnt over goeden en bozen, nuttig en schadelijk gedierte en is de drijvende kracht van alle ziel en vlees. Voor de een heeft hij handen, voor de ander weer vleugels; hij kwinkeleert als een leeuwerik of loeit als een koe. Hij sterft en leeft weer, wat wonderlijk zou zijn zo het niet eindeloos gebeurde en hij heeft een zwabberend genitaal, een slurf die, naar men zegt, de winden veroorzaakt. Dat is de zon en hij koos de bomen, geen water maar huiselijk begroeid vakantieland.

De heer Vogelaar volgde maar met weinig geordende gedachten zijn zon; boven het roodste dak van het land, een stuk verlaten hei dat al bloosde als op een kerstkaart, en opeens nog tot zijn verbazing vol en rond in het andere venster, al aangeprikt door takken.

Het was duidelijk, hij ging onder over de hele wereld.

Toen de trein stilstond in het dorp en de heer Vogelaar uitstapte was het nog niet geheel donker. Tussen de smalle glazen kappen van de perrons, precies boven de rails, stond de hemel nog bleekpaars en zonder strepen, maar op het kleine stationsplein was het wel donker; dat wil zeggen, om de rode gloed van de reusachtige kerstboom heen was het donkerder dan boven het station. Een ware woudreus was het die daar op het pleintje was neergezet en de top was door alle lichtjes niet te zien. Staaldraden liepen van de grotendeels verborgen stam naar de muren van het station.

De boom was te groot vond hij, met zijn stok tussen takken en harsgeuren porrend; daar moest van gemeentewege ergens een geweldig gat zijn geslagen in de omringende bossen, een gapende zwarte wond, een stil, naar bloempotaarde riekend verdriet met veel gebroken takken en harsdruppels. Misschien was de rode zon erin afgedaald en hing er zodoende veel samen in een wereld om een kerstfeest.

Dat bleek; in een fietsenwinkel, waar de gelakte stangen koud glansden in een wit licht waarvoor iedere verlosser zou zijn teruggedeinsd, had men de bagagedragers en koplampen spaarzaam maar koket versierd met takjes groen en hulst. Het groen was vergevensgezind en tot alles bereid; het sprong van winkel naar winkel met Vogelaar mee, van taarten naar stapels linnengoed, van stoelleuningen naar dode hazen met bloedstolsels uit de neus. Een modemagazijn bleek echter niet bezocht; geen takje te zien op de leren jas van de man die, onwaarschijnlijk keurig geknipt voor iemand in een leren jas, de handen met elegant gespreide vingers in het licht hief.

Het was een bijna lege winkel, door het ontbrekende groen ver naast het kerstfeest gelegen. Tegen een geel gordijn stond nog een klein meisje, een kleuter in een geblokt ruig jasje, die op haar beurt weer naar de leren rug keek. In de hoeken en tegen de plinten waar maar weinig licht was was alles troosteloos en verlaten.

Hij herinnerde zich een kerstfeest waarop hij met vetkrijt de boom in de huiskamer had nagetekend. Het lukte prachtig in het begin: olijfgroene takken met oranje appels, een wit laken aan de voet en overal vlekken geel kaarslicht met een rood pitje. Onder de lamp, zijn gezicht dicht boven het papier, rook hij het krijt, de geuren uit de keuken en hoorde zijn moeder stampend en rinkelend bezig. Hij dacht aan de andere kamers die donker waren en zonder feest, en behaaglijk tekende hij verder. Door de geuren, de geluiden, de warme stemmen kon hij maar niet ophouden en de tekening werd steeds lelijker. Het was wanhopig; onder zijn handen werd de boom grover, klonteriger, een struik groente vol aanstellerige ballonnen, en toen zijn moeder de tafel wilde dekken had hij de tekening, opeens tot in zijn gebeente vermoeid en lusteloos, in vieren gevouwen en door het klepje van de kachel laten glijden.

Gevaarlijk waren dit soort gaten in het feest wel, deze geëtaleerde onverschilligheid van een leren jas en een kleuter. Ging deze nacht het boek niet open om het weer te laten geschieden voor een iegelijk? Werd er al niet aan het roodkoperen slot gemorreld? Dreigde er geen sneeuw? De moedelozen uit de winkel konden het wel ontkennen, maar aan het einde van het dorp, op een punt het verst van de stationsboom verwijderd en waar hij de hoofdstraat zou moeten verlaten, werd het feest op indrukwekkende wijze weer bevestigd. Daar stonden in de tuin van het Don-Boscohuis enkele uit een hemelse platenbijbel ontsnapte figuren; levensgrote etalagepoppen, aangetrokken en gevangen in het scherpe licht der schijnwerpers, maar zo verrassend helder in al het omringende duister dat hij zich afvroeg wat voor taferelen te voorschijn zouden komen wanneer de bundels zouden gaan dwalen zoals bij vuurtorens.

Daar zat de hele heilige familie, vlijmscherp uitgesneden tegen de zwarte hemel, een brok heilig land nog net binnen het dorp, een nog nagloeiende meteoor uit Galilea. Daar kon de kerstboom moeilijk tegenop; dat tafereel zoog de hemel leeg en koolzwart.

Alle licht was gericht op de uit groene, nu en dan even opwaaiende doeken gedrapeerde grot. Om de grot waren de mannen verstard, met hemelzwarte baardjes en in de onoverzichtelijke kledij van een iegelijk in de dagen van keizer Augustus. De aarde was kleurrijk in die dagen, een lappenwereld van Egyptenaren, Babyloniërs, Alexandrijnen, Kollyridianen, Archonten, Eukratieden en Ophieten, maar de hemel was niet minder vol, wie er een pijl in schoot zag hem er trillend in blijven steken.

Vogelaar plantte zijn stok ferm in de verstilde aarde, kneep zijn ogen tot spleetjes en keek. Het licht deed pijn ergens midden in het oog, maar hij bleef kijken naar het flakkerende rood, het oneindige blauw, de zilver spattende sterren en de suikerroze engelen boven de grot, met navelbreukje en al. Door de opstelling van de lampen wierp geen enkele figuur een schaduw, wat aan het geheel een plaatachtig karakter gaf. Er was veel licht maar het kerstkind was er niet, niemand wist overigens wanneer precies het kindeke geboren was, geen fronsende Chaldeeër, geen Egyptenaar, maar het zou spoedig geschieden. Daar achter het voetlicht zou het worden neergelegd tussen de schaduwlozen die de handen al zo aanbiddend hadden uitgestoken dat de hemel wat dat betrof geen kant meer uitkon. Allen staarden dwingend, met harde poppenkastgezichten en winters glinsterend oog in de wollig opgemaakte schoot van Maria. Het was koud, soms bewoog even een kleurige flard in de avondwind en dan was het even nog kouder. De hemel was duister en stil, vol geruisloze voorbereiding, de spelers namen de rol nog even door, de mannen Bileam, Jesaias, Joseph. Arm oud Josephhoofd, geplaagd door wantrouwen en het verschijnen van een engel; die man kreeg in al zijn stallen ook geen rust met dat eindeloze reizen, trekken en verkondigd worden. Een magiër was er ook, uit het morgenland, kort onderkleed en zacht wiegende mantel. Waren die drie koningen wel koningen? Lucas zei daar niets van, koningen werden het pas door de psalmen, Jesaja en de pronkende, ronkende Renaissance. Dit was de zwarte wereld van vóór de geboorte, nóg was het kind niet uit de boom gerold maar men was bereid; aan hen zou het niet liggen. Ze dachten diep suizelend na en vergaten totaal om nog iets te bewegen in deze bottenkrakende kou. Een os en een ezel moesten er zijn, zonder dieren geen stal, ze moesten het veld nog in om daar wat te tellen en neder te liggen en sakkerjen dat zou niet meevallen want die decembernachten in Israël waren berucht regenachtig en deden het herderlijk gebeente knarsen en vroegtijdig verrotten. Het was even doorbijten voordat de hemelse zangen van Palestrina uit de hemel zouden dalen.

Vogelaar prikte zijn stok wat dieper in de grond als om blijk te geven dat hij nog niet verder wilde. Het zou het dorp goed doen, deze devote aandacht. Samen met God staarde Vogelaar naar de grond om het einde van zijn stok. Vele heilige families zweefden en draaiden daar in het zand.

'Laat ze maar wachten,' dacht hij, 'weer of geen weer, maar wat zitten ze daar toch stil, pa, dat is griezelig. Zijn ze er met de gedachten wel bij of zitten ze daar te dromen?'

'Ze hebben niets te doen,' zei God, 'het geschiedt altegader aan den mens zoals toch duidelijk genoeg is gezegd en wel in de dagen van keizer Augustus.'

'Dat is zo,' gaf Vogelaar vroom toe, 'hoewel – geschieden – ik heb altijd de grootste moeite, ja, de allergrootste moeite om het te laten gebeuren, ik bedoel werkelijk. Is dat te volgen o Heer?'

'Het is te volgen,' zei God. 'alle personen van het verhaal: de engelen, de magiër, de herbergier, de herders, ook de stal en de kribbe, alles dient om dat duidelijk te maken en daardoor is het een lang verhaal.'

'En ver van huis,' mijmerde Vogelaar, 'dat zou het toch makkelijker moeten maken. Wat ligt er niet allemaal tussen Bethlehem en hier? De hele westkust van Italië, de Etna met zijn sneeuwtop die boven de Siciliaanse bergen uitsteekt, de Ligurische heuvelen in de mist, de fabrieken van Frankrijk, de motregen, de geur van selderij, kalkoenen, gestroopte hazen met koude blauwe dijbeentjes als de kinderkens uit Herodes' nacht.'

'De vos,' mompelde God, 'hostis Herodes impie – oude macht die de kerk vervolgt – eerste martelaartjes wit, blauw, bebloed, gespleten.'

'Het is koud,' zei Vogelaar rillend, 'de lucht moet helder zijn en hoog al kan ik hem op het ogenblik niet zien, helder en vol kantwerk aan de rand der dunne twijgen.'

'Huys en hemel zijn overal om ons heen,' zei God.

'Daar vind ik het niet minder koud op,' mopperde de heer Vogelaar en hij porde zijn stok op een andere plaats in de grond. 'Wat zitten ze daar toch allemaal stil; dat is toch opvallend; dat staart maar en dat schept afstand. Ik ben jaloers op de stal, op hun rust, op dat rustige wonen tussen hemel en aarde. Ik moet bekennen dat ik wat jaloers van aard ben; dat heb ik al bij iemand die voor zich uit staart met ingekeerde blik, ook bij iemand die pijn heeft, een vrouw die bevalt of zo. Kan dat, jaloers op pijn?'

'O jee ja,' zei God, 'dat heb ik zelf ook wel, maar kijk toch eens, is ze niet mooi daar? De suvere maecht met de reinheid als enig sieraad? Uit is het met bidden, spinnen en lezen. Ze heeft de woorden van de engel even vergeten – koning over het huis van Jacob tot in eeuwichheyt en zo – allemaal mannepraat – misschien is ze er wel mooier door geworden onze dienstmaagd. Geen mooier woord dan dienstmaagd. Straks krijgt ze pijn en keert de blik naar binnen zoals gezegd. Die grot is ook mooi. Tjonge, wat zijn er toch een mooie grotten op de wereld.'

'Behalve die bij Dieppe dan,' wierp Vogelaar tegen, 'daar is er eentje – als je daar langs het strand strompelt over al die onnodige rotkeien en naar boven kijkt dan zie je hem: nat en blauwig als een lijk uit zee. Ik hou wel van die kust daar; de branding rolt maar af en aan en doet de rotsvormen even vanzelfsprekend ontstaan als een levensloop de vele verminkingen. Zo dacht ik toen. Er hangt daar trouwens een sterke geur van ammoniak en er zijn ook veel meeuwen om die grot daar.'

'Ze heeft ook niets anders te doen,' zei God, 'dan om stil te zijn, de mooie handen wat uit elkaar als houdt ze een strengetje wol op, en het allemaal maar laten gebeuren. Vanaf Abraham, David en de profeten is er over gesproken; ik was al echt helemaal een man van beloften geworden maar dit wordt de claere vervulde belofte. Ik trek er een dikke potloodlijn omheen en plant het daar tussen die schone koude handen waar ik maar niet genoeg naar kijken kan. Ik grijp in de toekomst en leg de belofte in het stro, maar het houdt niet op toekomst te zijn. Dat wordt dan een kind – dat is onvermijdelijk dunkt me – een kind 't zonnetje in huis, mijn zoon, mijn incrementum, mijn tresoer. Eind en doel der tijden rijden op iedere minuut voortaan.'

'En al so menich jaer,' zei Vogelaar, 'maar eigenlijk leeft men altijd aan de uiterste rand van de warme tijd, tenminste als men weinig flink is zoals ik. Op de schil, aan het strand van de tijd. Wijlen de hertog van Norfolk placht te zeggen "aanstaande vrijdag, zo God het wil, ben ik voornemens mij te bedrinken". Warme teksten uit het verleden, maar mij waait de verkillende wind van het onzekere om het hoofd. Als ik terugzie dan lijken mij al die mensen van vroeger zo warm en diep ingebed in zo veel tijd. Ik weet het niet... Deze nacht heeft toch iets kouds, iets van een doncker huys.'

'En hebt geen vaer,' sprak God, 'zonder belofte zou het onverdraaglijk zijn om tijd te hebben. Zalig zijn in hoop daar gaat het om, dat maakt dode grond levend, maar helaas van de lieve zoon ook een soort tijdgod wat toch wel weer jammer is.'

'Vrezen genoeg,' zei Vogelaar, 'ik kijk in mijzelf uit over een kleurrijk landschap en dan is er ook nog de grote vreze.'

'Die door de enghelen komt,' sprak God opgewekt, 'ja, ja, wat een mens niet allemaal boven zijn hoofd hangt, maar hoe dan ook, daar vóór ons dat is haar aandeel, jullie aandeel in het wonder, en daar begint het: de ontvangenis achter een wolkje, het dragen, de stal, de engelen, de geboorte, het kindeke, de jongeling, alles aanraakbaar, zichtbaar, hoorbaar, te ruiken, te voelen, al is natuurlijk nog steeds geloof nodig bij mijn openbaring. Als ik stamp dan vliegt er om zo te zeggen stof van onder mijn sandalen in het Galilea van toen in de neus van nu... hatsjoo... een heilig teken. God is in de wereld, een wonder in de hoofdstraat en niet kleiner dan het scheppen van de wereld zelf, voor een iegelijk te horen, voor elckerlyc te zien. Dat moet toch opvallen, zelfs in een hoofdstraat?'

'Overschat ze niet,' zei de heer Vogelaar, 'er geschiedt al zoveel aan de mens in de hoofdstraat. Ik haat ze als de pest, dat is zo, en waarom zou dat ook niet eens gezegd zijn aan de kribbe, dat ge u buigt over een wezen dat onmiskenbaar grof is, plomp, nidich, stom, bruut, eigenwijs, onaanspreekbaar, hovaerdich, ikzuchtig, kil als een kikker, geil, chronisch verveeld als een dikke verwende zuigelaar, sentimenteel, een begeesterd en begaafd dierenkweller met hoogstens wat troebele aandacht voor de hemel, in de avonduren als er werkelijk niets anders meer te doen valt. Maar er zijn ogenblikken dat ik verzwak, dat ik energie te kort kom... ik zeg dat maar wat uitgebreid want niets is verdachter dan mensenliefde... dan rust ik een wijle tegen een boom en vertel mijzelf dat er onder hen lieden moeten zijn wier hoofd is ingericht als zuilende witmarmeren tempels met een zon op iedere hoek, want op die ogenblikken heb ik sterke beelden nodig en ook dat is verdacht.'

'Gewis,' viel God de heer Vogelaar in de rede, 'tot het laatste toe, al schijnt het heilig licht ook dwars door hen heen, tikken ze zichzelf op de schouder, maar daar in onze stal dat is braaf volk, daar kan ik mee uit vissen gaan, waarachtig wel, een beetje stil misschien zo op het oog, maar toch al vol gebeuren. Achter het geluid, tussen de beweging, buiten de kou staan ze daar, ze hebben een zwart randje om hun hoofd, zwart haar en een gitzwart sikje, het zijn tenslotte nog geen heiligen. De engelen hebben nog niet gezongen, het is duister buiten hun hoofd, ze weten het, ze zijn het niet vergeten. Al dat zwart daar buiten is angstig maar toch verheugen zij zich, ze huppelen zonder beweging, zingen zonder geluid, ja ze aanbidden zelfs zonder kind. Braaf stalvolk, lieve roerlozen, heilige holten in al wat ik geschapen heb. De beste kaas zit hier blijkbaar in de gaten.'

'Wat mij bedroeft in die stal,' zei Vogelaar, 'is de verschrikkelijke rust, daar zit iets onbereikbaars in, iets van heel ijle fluitmuziek die nergens vandaan schijnt te komen. Ze zitten daar zo stil en gelukkig, ze vallen samen met zichzelf onder het veilige koepeltje van uw hand, maar kijk eens naar mij, welk woord is hier nou vlees geworden? Soms in de nacht leg ik de hand verontrust op mijn dyspeptische buik, totaal versockeld en vermost, en zeg, hoor toch eens het tumult van mijn vele figuren; opdrachtgever, saboteur, openbare aanklager, verdediger, dokter en patiënt, schijthuis, moedinspreker, armoedzaaier, trotsaard, paria, begunstigde stommeling, intellectueel, knoeier, ga maar door, een mensheid in buikformaat. Dat is nu mijn stal, kom oude vader, jaag ze toch in de verkens. Ze dansen om elkaar heen in de nacht met het geluid van wild koerende duiven en pogen elkaar slapjes de nek om te draaien. O wach, o wee, wat dede ic ye geboren. Ik ben een veiligheidszoeker moet u weten, een troost soeckend wezen, niet zo maar eentje uit de hoofdstraat. Begin en einde ben ik van vele Vogelaars en ik ben er doodmoe van. Bedreigd van buiten en van binnen, onmachtig op te roepen en naar mij toe te halen wat grote vorm geeft aan het leven; wijsheyt, cracht, duecht, vroescap, stalrust vooral. Certeyn, ge hebt me wel zo het een en ander geschonken in uw oneindige goedheid maar te weinig. Nooit kon ik mijn onmacht het zwijgen opleggen, volwaardiger worden, minder kwetsbaar, minder eenzaam. Goede, oude, ge hebt mij te afwezig liefgehad.'

'Nu de goede voornemens,' mompelde God.

'Die zie ik niet meer met vreugde ontstaan, wel met angst, ik mis herderlijke energie, maar ik heb eigenlijk merkwaardig weinig aan u goede vader, uw gelaat is mij ook te gesloten, en voor een manneke zoals ik bergt een gesloten vizier nooit het gelaat van een medestander. Angst en verbeeldingskracht zorgen ervoor dat ik uw bestier steeds een fase voor ben, dat lijkt mij verstandig al ben ik er ook voor onder behandeling bij ene dokter Boon.'

'Boon? Ik ken dezelve niet.'

'Het is een man die het verstand te boven gaat, van een oneindige rust maar nochtans zeer dichtbij. Boven aan mijn kaart heeft hij geschreven "moeilijke man van vele woorden die geen zoden aan de dijk zetten" en daaronder "vrucht op eigen sap". In de verdere tekst vond ik "een door zelfbeklag beslagen bril, de geslagen houding van de dupemens, de mensen een samenklontering die hem buitensluit, ontbindingswoede een zaak van eigenbelang, verzet tegen eigen isolement en een tekort aan bovenpersoonlijke interesse, tekort aan idealisme, iedere levensbeweging wordt van buiten naar binnen geïnterpreteerd". Ik ken mijn kaart, o, ik ken mijn kaart, probeer dan nog maar eens tegen de wind in te lopen. Ver buiten ieder tekstverband, dik omlijnd als boompjes in de woestijn heeft hij, vermoedelijk op momenten dat ik te veel praatte, geschreven "goede dokter Boon", "fijne dokter Boon" en "weledelzeergeleerde dokter Boon".'

'Een mooi kaartje,' prees God, 'mooi blauwdrukje voor de enige weg tot mij. Wat koop ik voor al die uitgebalanceerde lolbroeken, ik speur liever langs het strand als het motregent, of naar iemand die aan het kanaal zit en niet vist, een jongeling die op zijn eentje maar rondfietst op een mooie zomeravond, een kind dat zich te pletter verveelt op een vrije zonnige middag, eenlingen op een feest, een oud heertje op een bankje dat niet glimlacht naar de spelende kinderkens. Voor mijn zegekar krukt een partijtje ongeregeld goed dat er niet om liegt, dat er om zo te zeggen helemaal niet mag zijn. Voetbalspel, harmonieorkest, collectebus, daadkracht, doorzettingsvermogen, promotie en het tientallig stelsel zijn mijn ondergang, de donkerblauwe en zwartgroene begrippen schuld, angst, verveling, vertwijfeling en torment zijn mijn herrijzenis, ick den hoochsten coninc almachtig.'

Vogelaar streek peinzend over zijn kin: 'In al die jaren dat ik u ken heb ik evenmin een spoor van buitenpersoonlijke interesse in u kunnen ontdekken, door ons beiden loopt een draad van nadrukkelijk eigenbelang. Zo ligt mij uw tactiek helemaal niet, ze doet me te verborgen, te duister aan, te veel doortrokken van een spel dat ik maar bij het eigenbelang indeel en waarvan de bedoeling mij ontgaat. Ik stoot mij heus niet aan de eigenliefde, die is mij wel verwant, maar uw absolutisme daarin doet me op mijn hoede zijn.'

'Mijn stalletje,' riep God, 'mijn lieve kraampje, mijn

uitstalkastje... een marktkoopman ben ik; kouwe voeten, handen onder de oksels, adem als pluimen uit de neus, maar klanten... ho maar.'

Vogelaar staarde naar de stille vrouwen: 'Eens,' zo vertelde hij, 'in kintschen tijden, wandelde ik met mijn zwijgende vader die overigens veel van u weghad. Later werd hij mijn babbelende zoon en baarde hij mij veel zorg. Op een stillen heuvel ontwaarden wij wat vrouwen aan de voet van een kruis.

Achermen.

Ja, toen wij naderbij kwamen zagen wij dat op de schoot van de grootste vrouw een man lag uitgestrekt, een zwaar gehavende man zo te zien, met gewonde voeten en doorboorde handen waarvan de vingers om elkaar kronkelden als wortels van een boom. Het was een wat groenige blote man waarin nog veel pijn aanwezig was, een allendich arm katyf. Zijn tanden staken even uit onder de besnorde bovenlip, zodat het even was alsof hij lachte, maar zijn grote mond hapte zo smartelijk dat ik de indruk had dat hij jammerlijk verdronk. Dat zat hem in die groenige kleur denk ik.

De vrouw is mij bijgebleven, evenals haar welhaast kosmische schoot: een mystiek laken was het, een graal gelijk, een uit de afgrond opstijgende, alomvattende oertroost. Het merkwaardige was dat ik de indruk had dat alles in beweging was, langzaam opschoof of verder dreef in diep water, ja alsof er iets doorheen stroomde. Het was overal stil, er sloften wat suppoosten door het zand met bolle glimmende neuzen aan hun schoenen, die het allemaal blijkbaar niks kon schelen. Mijn vader was een zwijger zoals gezegd, en zo was in den beginne het beeld.'

'Ai, my, ik keek naar beneden,' zei God met bevende stem, 'daar hing ik, mijn armen die steeds maar langer werden, wijd open alsof ik de hele wereld wilde omarmen. Maar ze waren vastgespijkerd. Ik keek naar beneden van het kruis, naar de stille ronde vrouwen die overal armen hadden die ze vrij om elkaar konden slaan en om de stam van het kruis. Ik word door hen opgetild, dacht ik. Aan weerszijden van mijn hoofd brulde de pijn, schaduwen vlogen over de muren van de stad waarop overal mensen zaten. Aan de hemel hing in grote plooien een grauwe zwoele nevel. Ik hoorde het rollen van lawinen en de dreunende stappen van een onmetelijk aardbeven. Aan beide kanten van mijn hoofd rukte de pijn, een fakkeldans, rood met helle punten. De aarde schommelde, wankelde, basilisken gloeiden, om de altaren kropen schaduwen. Ik had nog wat adem, zo'n bolrond snikje, half in de borst, half al in de keel, genoeg om "Vader waar zijt Gij" te steunen, maar in mijn hoofd was daarna alleen het geluid van een storm. Boven een afgrond hing ik waarin ik langzaam en zwaar leegdroop. Een groot leeg oog was het, een oogkas waaruit het duister omhoog kringelde als rook. Vader, bad ik, help mij uit deze bloedende huls, vlij mij aan uw borst opdat ik uitruste. Kent ge mij en mijn wonden? Ontvang mij na mijn dood en sluit ze met uw helende hand. Doe mij ontwaken in een morgen vol waarheid en vreugde. Maar om mij heen kreunde de chaos, de eeuwige middernacht. Met heel wijde ogen zag ik de helm van de soldaat en zo hard was de glans van het ijzer dat ik de pijn daarvan nog afzonderlijk voelde. Toen zag ik de vrouwen en mijn ziel begon te wenen van vreugde en dankbaarheid, om de pijnen, de onmacht, de angst. De tranen verlieten mij niet en het was als verzonk ik in de gevleugelde golven van een zee. De zon speelde in zijn eigen stralen en vloeibaar licht drupte van rozen en leliën. Steeds kleiner werd de wereld, ja ik zág mij haar vergeten, maar steeds groter werd de dons van witte wol in mijn buik, mijn borst. Het gloeide achter mijn ogen, mijn hart soesde, een koele wind was in mijn oren. Méér pijn, bad ik, méér angst, méér duisternis... mijn God, hijgde ik, mijn God, waarom hebt gij mij verlaten... En eerst toen... eerst toen...'

'U hebt mij onderbroken,' zei Vogelaar nors, 'u bent mij in de rede gevallen.' Hij prikte zijn stok weer in de grond en zag de punt langzaam verdwijnen. 'Zonder dat mijn vader ingreep tilden de diep bedroefde vrouwen de man weer op en nagelden hem wenend weer aan het kruis. Het gereedschap lag bij de hand, de spijkers gleden door de wonden en pasten precies in de gaten van het hout. Een wonderlijk gebeuren onder tranen, dat mij niet tegenstrijdig voorkwam, maar ik was ook nog maar een kind.'

'Laat de kinderkens tot mij komen,' zei God, 'maar is hij niet prachtig, die stal, tjonge-jonge, concepto ex spiritu sancto.'

'De spiritu sancto,' verbeterde Vogelaar.

'Is hij niet werkelijk,' vroeg God, 'dat bedoel ik eigenlijk.'

'Nee,' zei Vogelaar, 'hij is te veraf en er omheen is het geknisper van bladen en de bosgeur van heel oude boeken, maar misschien komt dat omdat er geen schaduwen zijn.'

'Die lampen deugen niet,' sprak God, 'het licht moet van boven komen.'

Vogelaar zweeg en knikte instemmend toen er muziek op hem afkwam en tot hem doordrong. Ook de herders luisterden met geoefend oor, maar de tonen werden niet in de heldere nacht geplaatst met eerbied, tussen duim en wijsvinger en met geheven pink, maar sukkelden voort met smeltende blik, tegen elkaar leunend gelijk liefdesparen... als ich damals einsam ging... auf der grünen... grünen Heid. Onbeholpen vingers, mogelijk van de fietsenmaker en met een takje versierd, trokken de tonen uit een accordeon en stuurden ze de straat op om te bedelen. De maagd Maria die altijd maagd zou blijven ontblootte de borst en de onbeschrijflijk volle en blanke armen. De warmte die ervan opsteeg stond als een lichtende boog boven de stal.

Alles begon nu zachtjes en vol verwachting te ademen.

'Zo is het,' zei Vogelaar, 'geweldige bronnen schuilen in de accordeonmuziek, wat een nacht, wat een stal. Ome God trekt zijn kaarsrode mantel aan, zijn hals steekt eruit, wit als ivoor. Onder de mantel steekt het zachte sinterklaasondergoed uit met een sierlijk bewerkt randje zoals bij het papier van gebaksdozen. Langzame, treurige muziek, hele verre marsmuziek, de rug wordt recht, de benen sterk, de ziekten zijn verre en de dood is overwonnen. God leeft in het paradijs en wie zou hem dat nu misgunnen. Als heilig kind ook ligt hij in heilige schoot, klein als een grondel met een nadenkend oud gezichtje en een te groot rond hoofd. Straks gaat het gebeuren, de pijnen zijn er al ergens om ons heen. Als de koren niet zullen zingen, wat God toch eens een keer zou moeten toestaan, dan is er nog de accordeon, want ook een vulgaire melodie is een weg naar het paradijs. Als er maar iets gebeurt. Amen.'

Na de kerststal moeten de eerste schreden in het totale duister worden gedaan en Vogelaar prees zich gelukkig in het bezit te zijn van een wandelstok waaraan een zilveren knop met inscriptie. Deze stok hield hij met gestrekte arm voor zich uit zoals blinden die de straat oversteken. Zo kon hij weliswaar nergens tegenaan lopen, echter wel struikelen, in kloven, berekuilen en greppels storten, zodat hij het raadzaam vond de voeten hoog op te tillen en tastend weer neer te zetten. Op deze wijze betrad hij voorzichtig de duisternis, aanvankelijk wat spookachtig stappend alsof hij zich strijdend maar op de tenen van het kerstgebeuren verwijderde en, naarmate zijn ogen meer aan het donker gewend raakten, steeds meer met de zekere tred der normalen. De stok hield hij nog een tijdje voor zich uitgestrekt.

Na verloop van tijd draaide hij zich om en bezag met droefenis de kerststal in de verte, een kleine scherp verlichte etalage, een heel verleden al. De schijnwerpers verlichtten ook helder enkele gedraaide bomen er omheen, waartussen echter grillige stukken nacht zodat het was als werd de stal bekeken door er omheen hurkende gestalten.

Vogelaar kende de weg nog wel van vroeger, na enige tijd passeerde hij het kozakkenpark, een speeltuin die hij niet anders had gekend dan gesloten, de glijbaan en de looptonnen van steeds bleker hout, de stangen der machines steeds doffer en roestiger. In de tijd van Napoleon hadden op die plaats de kozakken gekampeerd die uit Duitsland kwamen.

Voorbij de ingang van de speeltuin werd de weg onverhard. Vogelaar hoorde hoe het dorre stalgras kraakte onder zijn schoenen. Het werd nog steeds donkerder, de wind stak wat op en nu en dan ruiste het in de takken. In de verte brandde een zwak lichtje, heel diep in de bossen, maar het bleek al spoedig dat de weg er langs voerde. Hij stond stil, legde beide handen op de knop van zijn wandelstok en staarde naar het bleek verlichte venster. Er zat iets droevigs in dat vierkantje waar omheen al dat mateloze zwart. Iets van het wonderlijke van de mens zelf, een oplichtend schilderij van geboorte, ziekte, dood en het er weet van hebben. Een warm maar eenzaam eilandje tussen al dat hout en aarde. Met een uitgestrekte hand liet hij het venstertje verdwijnen en weer verschijnen, maar hij kon het toch niet zo begrijpen als hij wilde. Hij voelde het onbegrip zitten in zijn hoofd, helemaal boven in zijn schedel en dan iets naar achteren. Voorzichtig tastend met stok en voeten stapte hij van de weg af naar het venster toe. Hij rilde even maar toch stapte hij voort tot hij op weinige schreden na het raampje had bereikt. Ingespannen tuurde hij door de kleine ruitjes van het venster, maar het was nog te ver af om daarbinnen iets te kunnen onderscheiden.

'Nee,' mompelde hij, 'zo gaat het niet. Ik zal er vlak

voor gaan staan, ik moet weten wat er gebeurt.' Op de tenen sloop hij naar het raam en gluurde naar binnen. Daar zat een lelijk wijf, maar daar achter in het vertrek, wat was dat? Die hoop vodden moest toch geen bed verbeelden? Ja toch, daar lag zowaar een mens op, een levend geraamte dat de lippen bewoog in het vreemde gelige licht van het vertrek. Vogelaar legde zijn oor tegen het raam en voelde de snijdende kou van het glas diep in zijn hoofd doordringen.

'Had ik maar een kopje melk Kee.'

Vogelaar knikte afwezig en streelde met de wang het kozijn.

'Niet huilen Kee, niet huilen lieve vrouw. Och Kee, dat de goede God ons deze nacht maar weghaalde, jou en mij te zamen Kee.'

Hij deed een stap terug, de takjes knapten onder zijn schoenen, er zat kennelijk vorst in de lucht. Het hoofd wat scheef staarde hij naar het venster, klein boekblad, klein bloedwarm luikje, en hij dankte de grote machten om Vogelaar die zijn wereld wilden verwarmen. Misschien had zijn lieve moeder het venster daar in het bos opgehangen omdat ze wel wist dat hij treurig werd 's avonds. Wat zal hij blij zijn dat hij niet is vergeten, straks kreeg hij zijn korfje met het brood, de boter, een fles wijn, wat kopergeld. God zegen je Dik Trom, je bent een beste brave jongen, bedank je moeder maar hartelijk... en dan tranen in het oog van een iegelijk.

Hij verheugde zich over de reutelende oude, de magere borstkas, het bevuilde bed. Misschien kwam dat omdat het ging sneeuwen, dat maakte gelukkig. 'Lieve God,' bad hij, 'laat het toch gaan sneeuwen.'

De laatste woorden sprak hij hardop, innig en dwingend, de ogen gesloten, en hij richtte zijn woorden schuin naar boven en wat voor zich uit, waar God pleegt te luisteren bij het bidden. Zodoende schrok hij heftig toen hij op de schouders werd getikt, de stok met zilveren knop ontsnapte aan zijn greep en viel met een droge slag tegen de grond.

Terwijl hij rondgrabbelde tussen de stronken en bladeren, op zoek naar de knop, bedacht hij dat hij gevaar liep op het hoofd te worden geslagen, uitgeschud en naakt achtergelaten langs de weg. Normaal immers roept men 'beilo...' of 'pas op uw tellen waarde heer...', jaagt zodoende de aanvaller de schrik op het lijf en doet hem een goed heenkomen zoeken. Hij echter krabbelde over de grond met gebogen rug en onverdedigde schedel. Toch kwam hij wel wat te weten in deze merkwaardige houding; Behemoth die zelf zijn onderste helft verlichtte, droeg solide knooplaarzen met brede bolle neuzen en dikke zolen, alsmede een broek van dikke zwarte stof die aan de zijkant was versierd met een rode bies. Naast de broek hing een dode haas, grauwrood en met glanzend wijd oog, de voorpootjes waren tegen de kin gedrukt. De wereld had de licht verontrustende neiging wat zonderlinge en clowneske trekken aan te nemen.

Hij richtte zich moeizaam op, plaatste in het licht van de lantaren beide handen weer op de knop van zijn stok, wat een rustgevende indruk moest maken, en staarde naar zijn aanvaller. In het midden van hem, ongeveer ter hoogte van zijn buik, brandde een lantaren, een kaarslantaren, een flakkerend vlammetje in het bos tegen een glimmende, ronde reflector. De lantaren schommelde zacht en wierp nu en dan wat licht over een mager gezicht dat bijna werd gehalveerd door een zwarte snor. Verder stonden in het licht een rij koperen knopen en nog wat rode biezen. Op het voorhoofd droeg de man een gouden leeuw die in glans de knopen ver achter zich liet. Als het ware om een gat van licht stond daar een veldwachter. Een ogenblik dacht hij aan de planeten en sterren die hoog boven het bos veilig en rustig cirkelden, een flits oneindigheid met veel duisternis tussen hem en de hemel.

Een hoffelijk diendersgezicht staarde hem aan waarop duidelijk stond te lezen dat daar geen begrip voorhanden was voor alles wat buiten de plicht viel.

'Habemus papam,' zei Vogelaar berustend.

Het hotel van Ma lag boven op de heuvel, de voordeur was zwak verlicht, hoog daar boven, dicht onder het dak een even zwak verlicht raampje. Toen ze op het hotel toeliepen knarste het grind, een onwerkelijk, wat toneelachtig geluid. De veldwachter koos de achterkant zonder de voordeur geprobeerd te hebben, om het huis heen wandelend met lange gruizelende stappen, terwijl Vogelaar meeliep met serviele krakende dribbelpasjes.

Hij had het koud, eigenlijk had hij dat pas goed gemerkt toen hij naar het hoge venstertje keek, waarbij hij zich toch even vreemd gelukkig had gevoeld, even maar, zoals ook in het bos de bosgeuren maar op enkele plaatsen aanwezig zijn en dan snel weer voorbij drijven.

De keuken aan de achterkant was duidelijk verlicht. Het witte schijnsel straalde over een betegeld terrasje en liet enkele stammen van het bos en nog wat onoverzichtelijke stapels planken zien onder een stuk afdak. In de keuken, tegen het aanrecht stond een dikke man. Hij was in overhemd en droeg een groene rijbroek. Op de rug hing het hemd uit de broek. De man trok juist met fraaie bewegingen van de hand een lepel uit een pot stroop die op het aanrecht stond, het hoofd keurend vooruit gestoken. Hij bleek nu ook op kousevoeten, zwarte sokken waarin genotzuchtig wriemelende tenen. Een huiselijke man zo te zien, een die de vreemde, wat goedige huiselijkheid ademde van half geklede geüniformeerden.

Vogelaar zag uit de ooghoek de hand van de veldwachter naar boven komen, maar hij legde zijn hand op de stroeve stof van de mouw en wist zo enkele kostbare ogenblikken te winnen, waarin een fonkelende lepel werd geheven, een rood gezond hoofd nog meer naar voren oprukte, een onderkaak met vochtglansjes op de lip naar voren schoof tot de oren begonnen te bewegen. Daarna slikte de man zijn edelsteen, de steel van de lepel stak omhoog uit zijn opeengeklemde mond als een thermometer bij een weerbarstige patiënt.

Veel van wat er zich binnen in de man afspeelde viel af te lezen van de zwartgekousde tenen, die huppelden en wipten op een bijna onbeschaamde manier. Vogelaar stootte de ruiggeklede arm van de veldwachter krachtig naar voren alsof hij met een hefboom de wereld weer in beweging zette. De knokkels tikten hard tegen het glas. De groene stroopeter schrok van het geluid, greep naar de lepel terwijl hij tegelijkertijd zijn hoofd omdraaide zodat de lepel nu schuin uit zijn misprijzende mond stak en verslikte zich; krampen daalden af van de buik naar de opgewonden kousevoeten, schokken stegen op van de maag naar de keel. Door de half geopende deur was het gesteun goed te horen, een wurgend tenorgeluid dat alle reizigers vervloekte en het alleenzaligmakende van lucht bezong. 'Zo angstaanjagend is de mens,' sprak Vogelaar plechtig, half tegen de veldwachter, half tegen de man in de keuken.

De betrapte moest hierop het antwoord schuldig blijven, maar vulde de sombere visie van de heer Vogelaar aan met wanhoopsgeluiden die de borstkas echter niet goed konden verlaten. Ten slotte slaagde hij erin, na zijn keel in alle richtingen te hebben schoongeschraapt, met totaal versleten stem uit te brengen: 'Voortreffelijke stroop... voortreffelijk.'

De stem was aan rafels maar ze herstelde zich snel: 'Ik merkte het aan tafel, ik zag opeens dat ze versuikerd was. In dunne laagjes op het brood is dat een kwelling, zoals zoveel dingen overigens hier beneden.'

Vogelaar keek rond in de keuken op zoek naar het kerstfeest, voelde de zwarte roodgebiesde aanwezigheid van de veldwachter achter zich en hij bewonderde de kracht van de strooplikker om zoveel te kunnen negeren. Door de open deur tochtte het, een krant op tafel bewoog zacht een afhangende punt. Het was geen keuken in de greep van een kerstfeest stelde hij teleurgesteld vast. 'Ik bestudeerde de dag,' sprak de man, 'ik overzag de gebruiken die hij zou hebben te torsen van de vele andere dagen, ik zag hem met onvermijdelijkheden doorsneden als door wegen van graniet. Ik berekende de banen die de mensen hier door hem zouden trekken met de aandacht van een sterrenwichelaar. Ik zag hem troebel worden, ik zag hem om zo te zeggen versuikeren, maar ik zag ook hoe hij een kleine parel in zich droeg, een coeloom van stilte en onbetredenheid. Daar duwde ik de lepel diep tot op de bodem, ik trok hem voorzichtig weer terug tot in het merg vol begeerte en mobiliseerde alle sappen die nodig zijn. Ik concentreerde mij, want de voorsmaak wordt het criterium voor achteraf, stak de gedegenereerde stroop in de mond en de tong tastte zich een weg door alle verrukkingen die de taal niet vermag te volgen. Ik moet bekennen dat ik mijn diepste gedachten heb wanneer ik snoep, dan word ik een visionair, een Blake, een Eckhart, een Boehme. Zo zag ik zojuist mijn lieve vader... daar tussen de schuimspaan en die pan met dat gele handvat. Ik zoog, ik sabbelde hem te voorschijn. Hij liep aan de kant van een weg, een oude man maar goed verzorgd. Zijn bovenlichaam boog bij het lopen steeds weer voorover en het leek alsof hij steeds groette. Vreemd genoeg kwam hij niet naderbij, hij was ook bij leven een zeer nederig man. Heb ik al verteld dat hij een harde baard had die zeer snel groeide? Zijn scheermes zong als een vogel als hij 's ochtends bezig was. Zijn bolhoed hield hij in de rechterhand, in de linker hield hij een sigaar van vijf cent. Hoffelijk uitnodigend liep hij, ik kan dat werkelijk niet anders zien, en zijn ogen waren als van een hamster, bruin en goedig. Heb ik al verteld hoe hij stierf? Hij had nog een mooi ouderwets sterfbed, o ja. Hij keek ons een voor een aan en staarde toen lang voor zich uit. Daarna begon hij zachtjes te huilen, heel droevig was het, de omstanders konden het niet aanzien en sloegen de handen voor het gezicht. Toen we tenslotte weer keken was ie al in het paradijs, zijn wangen waren nog nat. Het deed me plezier hem weer eens te zien. Dan wordt er getikt en men wandelt gewoon naar binnen...'

Hij glimlachte een beetje en hield het hoofd schuin, de mond wat proevend toegespitst alsof hij weer het 'voortreffelijk' zou gaan herhalen.

'Hoe is uw naam meneer?'

'Vogelaar,' zei de heer Vogelaar, hij hief zijn stok even in de lucht en liet de zilveren knop met inscriptie fonkelen en draaien.

'Een voortreffelijke stok,' vond de dikke man, zijn mond afvegend. Hij deed onhoorbaar een stap naderbij en nam de stok over, tot ongenoegen van Vogelaar die echter uit beleefdheid geen tegenwerpingen maakte.

'Dertien juni negentienveertien,' las de man met nog steeds wat hese, vochtige stem. Hij liet de knop langzaam draaien en keek de heer Vogelaar uitnodigend aan.

'Mijn geboortedatum,' zei de heer Vogelaar.

'Geboortedatum,' zei de dikke man en hij bestudeerde de knop opnieuw.

Vogelaar knikte: 'Ja, ik herinner mij die dag. Eindeloos ver lag het strand aan de zee en in de verte verdween zij als een dun blauw sliertje in een onmetelijk wijde bocht. Over alles stond de zon, dat weet ik zeker, een zon boven een wereld die wemelde van roze knapen, maar er was overal onrust in dat negentienveertien. Nu en dan klonk er een stem uit een luidspreker, de zwembadstem attentie... attentie... even luisteren heren... de nummers zo tot en met zoveel moeten zich aankleden. Voor de badhokjes en de loketten stonden overal lange roze rijen... Er was veel onrust.

'Ik trof deze meneer aan in verdachte omstandigheden,' zei de veldwachter, 'bij huize Tobias.'

De stem schoof met kleine rukjes, laag en krakerig de keuken in. Het was geen onaangename stem, maar wel een stem zoals men zich voorstelt dat muren, gebouwen, treinen zouden hebben als ze tot spreken zouden komen. Het hoorbare gebed om sneeuw werd niet genoemd.

'Mijn stok doet mij er aan denken,' zei de heer Vogelaar zacht, 'dat het zeer onwaarschijnlijk is dat ik er ben..., ja soms wanneer ik wandel in het park van de stad waar ik woon en de kalkoenen bekijk, de duiventorens, het zwarte bokje, luisterend naar het regelmatig tikken van mijn stok, dan schaam ik mij...'

'Wij hebben nu eenmaal onze orders,' hernam de veldwachter op dezelfde toon die zo ver buiten het gesprek lag, 'erop toe te zien dat op dit terrein, dat is dus van de Pruisische veldweg tot aan...'

'In het park staat ook een beeldengroep,' zei Vogelaar nadenkend, 'en deze groep beeldt, zoals u misschien weet, het leed van de oorlog uit. De kunstenaar die deze groep heeft vervaardigd is er in geslaagd op fraaie wijze aan soldaat en burger in de oorlog gestalte te geven. Maar ik moet u zeggen dat, wanneer ik deze groep bekijk, wanneer ik er tikkend tussen of er omheen wandel...'

'Maar wanneer meneer hier wordt verwacht...' sprak de veldwachter, al sprekend deed hij een pas naar voren en trad in het licht alsof hij op deze wijze zijn zin meende af te maken. Een hand met de dode haas hing bij de koppel, de ander zweefde wat doelloos in de buurt van de borstzak. Vogelaar herkende opeens het gezicht, dat achter de snor uitgeloogd en vermagerd was door vergrijpen en overtredingen. Zijn vingers spreidden en sloten zich om de knop van zijn stok.

'...dan word ik sterk aangetrokken door een van die beelden, een vrouw. Zij draagt een kind op de arm, zij draagt ook een hoofddoek, dat is al zeer vrouwelijk maar haar heupen zijn van een kracht en een pracht... Dat wil zeggen de rondingen daar laag bij de lendenen...'

De knop van de stok beschreef peinzend cirkeltjes in de lucht.

'Haar buik is sterk en rond. Soms als het regent en het dus stil is in het park dan ga ik voor haar staan; alles ruist als een wiegelied, de aarde geurt vol troost en in mijn hoofd wordt alles groen en slaperig. Maar dat gezicht is een schok en een schrik telkens weer, een stenen moeder kijkt dwars door me heen, het druipt van de regen en de duivepoep maar het vernietigt me, ik ben niet eens een holte. Ik droom van die steen, het is een kwelling en ik sta er vaak meneer... blijkbaar kan men sterk verlangen naar datgene waar men door lijdt. Steeds begrijp ik het bijna, ik vraag me dan af: "Moet ik iets doen, iets laten? Moet ik me op oneerbare wijze tegen haar aanvlijen om dat gezicht te breken?" Ik zou een lijkenschenner kunnen zijn, niet om hun koelheid en hun machteloosheid, maar omdat zij ook dat hooghartige hebben. Hun oog breekt, maar zij vernietigen, zij zijn zonder deernis. Men streelt en smeekt en is tot het uiterste alleen.'

De laatste woorden werden ontkracht doordat hij ruw bij de arm werd gegrepen. 'Goed,' klonk de krakerige stem, 'deze zaak kan op het bureau wel verder worden bekeken en ik zal mijn best doen dat men zich niet haast.' Vogelaar voelde zich op pijnlijke wijze boven de rechterelleboog omklemd en hij keek verbouwereerd en gekwetst van de verrassend slanke vingers op zijn mouw naar de ogen van de veldwachter die zo donker waren dat het moeilijk was om de pupillen te onderscheiden. Dat gezicht kwam hem weer zeer bekend voor. Hij verbleekte en kromp ineen. Weliswaar doemden achter de veldwachter ontelbare lokaliteiten op met geelgelakte schrijftafels, balustraden en banken, die afschuwlijke kazerneachtige rijks- en gemeenteholen waar alleen het wachten bestaat en waar altijd deuren dichtslaan in verre gangen, maar zijn angst ontsteeg aan heel andere gebieden. Hij strekte de vrije arm uit naar de keuken en riep: 'God verhoede... wéér het bos... het venster... mijn stal... dat is onmogelijk, ik verzeker u dat dát onmogelijk is...'

Terwijl de woorden hem nog uit de mond stroomden, draafde de dikke man al geruisloos de gang in, de buik met beide handen ondersteunend. Een opgeschrikte, wegsnellende figuur, om eigen veiligheid beducht.

De pot stroop stond veraf en roerloos op het aanrecht, het kartonnen dekseltje lag er bleekjes naast, vol donkere druppels stroop als een puisterige huid. Hij voelde hoe zijn mond begon te trillen en hij had moeite om niet op de knieën te vallen en genade te smeken aan deze onontkoombare man. Maar daar was de goede dikke weer, onvermoeibaar dravend op zijn kousevoeten met kleine dribbelpasjes om niet uit te glijden en al dravend bladerend in het boek der boeken.

B. Vogelaar, stond er duidelijk, zo toonde de sproetige wijsvinger die een schone vierkante nagel bezat. B. Vogelaar; geen betaling, volledig pension, liefst flanellen lakens. Alles in lichtblauwe grote letters en de V droeg een forse krul als betrof het allemaal een vrolijke aangelegenheid.

De greep om de elleboog verslapte, de veldwachter las mee; een niet te vervalsen naam in een rij, op de juiste datum en veilig omgrepen door strenge rode lijnen. Het was ook een dik boek met een bruin gemarmerd kaft. Alles klopte zag Vogelaar, met een vaag gevoel van teleurstelling dat Ma hem zo officieel had ingeboekt en hij knikte. 'Het komt mij alles zo onwaarschijnlijk voor,' zei hij, maar hij bracht het nog niet verder dan een fluistering.

Gesprekken baren geen hazen, de veldwachter moest er dus wel degelijk geweest zijn, al kon Vogelaar zich dat nauwelijks meer voorstellen. Op het aanrecht lag de dode haas, grauw als klei, de kop wat schuin over de zwarte, gespikkelde rand zodat hij vol meewarigheid leek over zichzelf. Het was een gestrikt dier, om de hals krulde koperdraad, de ogen waren bruin als van een veldwachter en om de haas heen was het stil en verlaten. Met een vinger voelde hij de vacht en de harde ribben daaronder.

'Veldwachters,' zei hij hardop zonder te weten wat hij ermee bedoelde.

'Ik heb er de beste herinneringen aan,' zei de dikke man opgewekt, 'lijkwit achter mij aandravend schonken ze me de beste appels uit de appelboom. Ik mag niet ondankbaar zijn. Nog laatst wandelde ik hier in de bossen, ginds bij de Lindenheuvel en ik zag hoe een man een zwangere vrouw sloeg. Zij worstelden zwijgend aan de rand van het pad maar voor míj, zo plotseling door hun daverende aanwezigheid overvallen, reikten hun gestalten tot aan de wolken. Wat doet men gewoonlijk? Men roept hela... wat moet dat... speelt de held of laat zichzelf erbij afranselen, in beiden steekt evenveel hulp. Maar dat is mij allemaal te gewoon en een zonde tegen het leven. Ik liet hen worstelen, ik passeerde hen, genietend van het landschap. De vrouw begon te schreeuwen toen ze mij in het oog kreeg, maar ik kuierde rustig verder terwijl mijn hoofd gretig het gebodene verteerde. Denk eens aan wat er in die vrouw moet zijn omgegaan... van mij kreeg ze er een onovertroffen pak slaag bij... Ze krijste het uit... een groot gebeuren.'

'Misschien was zij zwanger van een ander,' zei Vogelaar, 'ze was zwanger, waarom dan niet van een ander.'

'Maar misschien voelde die man zich, net zoals ik, sterk aangetrokken tot zwangere vrouwen en had hij haar op dat pad oneerbare voorstellen gedaan,' bedacht de dikke man met sterk bewegende handen.

'Of die vrouw, gebukt onder de schuld deze aardkloot nóg meer te bevolken had aan haar wettige echtgenoot om een tuchtiging gevraagd,' zei Vogelaar.

'Zwanger,' zuchtte de oude, 'een verheven maar onder banaliteiten bedolven verschijnsel: moedermelk, koerende vrouwen, flesjes, truitjes, pruimenmoes voor het hoopje... Die man deed tenminste wat, de vrouw schreeuwde, ik wandelde en samen zetten wij een zwangere op het bospad. Ik genoot... men wordt ouder, men moet ook slimmer worden wil de wereld niet ontsnappen.'

'Misschien was het gewoon een echtelijke ruzie,' opperde Vogelaar, 'omdat ze zich allebei te pletter verveelden.'

De oude heer schudde droef het hoofd, 'bij u zou het niet zijn gebeurd, nee bij u zou het zich niet hebben voltrokken. Wat zou u hebben gedaan in mijn plaats?'

'Ik zou die man zeker hebben aangesproken,' antwoordde de heer Vogelaar, angstig naar goed- of afkeuring speurend in de melkwitte ogen.

De oude schudde weer het hoofd, daarna zuchtte hij even en trommelde met de vingers op de buik, rustig en gelaten, en Vogelaar vroeg zich af welke geruisloze melodie daar werd begeleid.

De haas lag grauw en stil op het aanrecht, heel ver. Het was jammer dat het maar niet wilde sneeuwen. Tussen de haren van de haas rook het beslist nog naar aarde, eikels, boomwortels. Toen hij uit de trein stapte had het dier nog geleefd.

'Dan zou ik het ook niet meer weten,' sprak hij sip.

De oude heer ontwaakte uit zijn gepeinzen, liep schuifelend naar het aanrecht, deed het dekseltje met dikke onhandige vingers weer op het potje en zette het toen op de plank, nauwkeurig schikkend en verschikkend tot het vermoedelijk weer precies op de oude plaats stond. Daarna greep hij het boek. 'Kom,' zei hij, 'ik zal u naar de andere gasten brengen, mijn naam is overigens Ferwerda.'

'Aangenaam,' zei de heer Vogelaar.

De zaal bleek veel kleiner dan hij zich herinnerde, maar voor stemmig licht was gezorgd. Bij de deur stond een geurend kerstboompje waaraan de elektrische kaarsjes al brandden en hier en daar flakkerden ook echte kaarsen in de tocht van de open deur. Vogelaar daalde als het ware trapsgewijs in de zaal af naarmate hij meer gewend raakte aan het licht. Het eerst herkende hij weer het hoofd van de oude strooplikker die hem bij de deur had verraden door terzijde te treden, maar nu weer opdook, omringd door de zijnen en kuis met schoenen aan.

'Dit is onze laatste gast Ma,' riep hij vrolijk, 'bijna hadden we hem het kerstdiner tussen de tralies moeten toestoppen.'

Hij trad naderbij om met een stroeve glimlach Ma te herkennen. Ze zat aan een klein tafeltje waarop een rood pluchen kleed. Nergens is de wereld zo mooi en rustgevend als boven een tafel waarop een rood pluchen kleed. Als een waarzegster zat ze in haar glanzende zwarte jurk. Ook de geweldige armen waren in zwarte zijde gehuld en glommen en glansden toen hij werd begroet. Ma omvatte hem, zoende hem op zijn kin en tegen het oor, een groot, stralend maar ook verdrietig gezicht heen en weer schuivend vlak voor zijn neus. Hij herinnerde zich hier tegenop gezien te hebben.

Ma. Wie haar Ma Schröder noemde vergiste zich, zij was Ma. In zijn kamer thuis hing ze aan zijn boekenkast op een driesprong van eiken latten en bedekte al vele jaren voor de helft de 'English romantic poetry'. Op weg naar Coleridge, Keats of Shelley moest hij haar van de spijker nemen, of scheef duwen wanneer hij de boeken weer terug zette. Dan keek Ma hem scheef en schalks aan en sommige zinnen werden haar onverwoestbaar eigendom.

Van oorsprong was Ma een archaïsch Kore-meisje dat hij al jaren ingelijst kende als bewaakster der romantische poëten, tot hij tot zijn verbazing, door een werkelijke gelijkenis of door de niet geringe invloed der romantici, zag dat waarachtig Ma daar haar hoofd in de lijst stak en door het raam de villa's aan de overkant in de gaten hield. Een Kore-meisje, een van die meisjes die zich een jaar lang voorbereidden op de panatheneaën en dan met onnavolgbare gang en houding en zorgvuldig geborduurd kleed vreugde brachten in de harten der jongeren en weemoed en bitterheid in die der ouden. De houding had Ma wat moeten vieren bleek nu, hoewel ze recht was gebleven als in antieke tijden en zonder korset naar hij meende op te merken. Nog kon ze het Kore-meisje thuis verdringen; de archaïsche glimlach krulde om de mondhoeken die als bij zeer muzikale mensen naar de oren wezen, de ogen waren wat bol, half geloken en bij tijden nog vol spottende verbazing, de mond schoon gevormd. De neus had nog het bekende deukje, maar niets was toch mooier dan een even geschonden mooi gelaat, Themistocles had dat goed gezien, in grijze tijden rommelend en delvend in de Perzerschutt, en hijzelf had er goed aan gedaan haar aan zijn boekenbalken te nagelen.

'Een veldwachter,' verduidelijkte hij, 'die alles in het bos verdacht vond. Kent u hem misschien, een bleke lange man met een snor en ogen donker als stroop?'

'Ach, vertel eens,' zei Ma met iets joligs in de stem, maar de hand op het tafeltje maakte een onaf en vermoeid gebaar alsof er iets onvermijdelijks gebeurde. Op een of andere wijze openbaarde die hand twee figuren op de achtergrond, twee smalle bovenlijven, rechtop naast elkaar, nederig hun beurt afwachtend, die zonder toestemming van Ma blijkbaar niet konden bestaan. De jongen droeg een wit, blauw gestreept truitje, wat Vogelaar, mogelijk ook al door dat onwezenlijke stilzitten, deed denken aan een prent van de verdronken Fenicische zeeman. Het vrouwtje was duidelijk zwanger.

Om het paar was het stil, stil en donker alsof het duisternis uitstraalde. Een roodachtig en kerstloos duister vond Vogelaar en hij schudde handen met de lichte vijandigheid die het zien van nieuwe gasten altijd oproept. De jongen stak een bijzonder grote en gespierde hand uit en voorover buigend ontwaarde hij nog een figuurtje op de achtergrond, een meisje. Vogelaar knikte, zo was het goed, zo in omgekeerde volgorde van belangrijkheid behoorde het te gaan en zo behoorde een meisje ook te zijn op een kerstfeest.

Op de grens van het waarneembare, achter het verdronken paar, had ze een wit, naar believen in te vullen gezichtje. De scheiding van het haar droeg ze in het midden, de hals schemerde blank en teer en Gode zij dank was zij ziek, zwak, lichtschuw en verdrietig, want ze lag in een ligstoel, het gezicht half afgewend en met tragisch geloken oog. Van de borst af was ze omhuld door een deken, een rood-geel geblokte plaid. Het zou een groot feest worden.

'Zal ik een kerstverhaal vertellen Ma,' vroeg de heer Ferwerda, 'is dat de bedoeling?' Vogelaar bezag het witgelokte hoofd aandachtig alsof ook dat bij een man hoorde die hij zich maar moeizaam herinnerde.

De boezem van Ma was hard en zwart, de grote handen lagen onbeweeglijk op het pluche. Hij zette zich in een stoel en zei in het donker speurend: 'Een teder verhaal.' Het meisje had hij niet begroet.

'Vertel mijn jongen,' zei Ma, ze hield het hoofd al voorover gebogen in aandacht, de adem stroomde haar hoorbaar uit de neus. Vroeger bezat ze een klein, wonderlijk gevormd metalen haakje met knopjes aan de uiteinden. Dat deed ze 's nachts in de neus. Het diende tegen de verslapping der neusvleugels en het snurken dat daarbij hoorde. Hij had het eens een keer zien liggen op een tafeltje. Die dingen zijn niet in de handel had ze toen gezegd.

'Nou dan...' riep de oude vrolijk, 'er was eens...'

'Het geschiedde,' verbeterde Ma die met gesloten ogen terugleunde in haar stoel. Zij geloofde al bij voorbaat in de ernst van het verhaal.

'Goed, goed,' suste de heer Ferwerda, haar plotseling met enige argwaan bekijkend, waarna hij zich naar Vogelaar keerde met komisch omhoog gedraaide ogen alsof hij zich voor haar verontschuldigde en hierbij God tot getuige riep.

'Een teder verhaal,' herhaalde Vogelaar koppig, hij zette zijn stok tussen de knieën en vouwde de handen weer om de knop.

'Een teder...' lijsde Ferwerda die bedachtzaam een hand tussen buik en broekriem stopte, 'ja... wat geef ik Jezus op dit kerstfeest...? Welnu, het geschiedde in de dagen dat er een vrouwtje woonde op een stil pleintje. En dat vrouwtje... ik zeg nu vrouwtje, maar het was eigenlijk meer een grote vrouw, met grote roze handen, en grote roze nagels ook. Ze had ook een groot roze gezicht en lichtblond haar waaraan een knoet met smeedijzeren haarspeld. Een groot roze lichaam had ze en de rest kan daar moeiteloos bij worden gedacht. Toch was ze altijd alleen, eenzaam groot en roze, zoals een enorm roze paasei in een winkel dat maar niemand kopen wil. Ze hield van de zon, de ramen open, licht en lucht in alle hoeken, bloemen in de tuin. Ik zeg dat maar zo opdat ge een indruk hebt.

Ze woonde alleen op dat pleintje en in de winter, wanneer het vroor en sneeuwde, dan goot ze vet over de boompjes in haar tuintje. Ze maakte vetbomen, bomen met grote glazige stolsels en als ze daar dan stond met haar grote warme handen en dijen, in die sneeuw en met dat pannetje, dan was er geen vogel te zien. Maar was ze eenmaal binnen, dan zaten de struiken opeens vol met die ondankbare krengen. Dat deed haar verdriet, maar misschien deed ze het daar wel om.

Nu had deze vrouw onder haar spaarzame kennissen een echtpaar dat haar een enkele maal een bezoek bracht. De man was oprecht en vroom, godvrezend en wijkende van het kwaad, zijn huisvrouw echter zeer jaloers en kwaaddenkend. Nu daar was geen reden voor; de man lag vaak en regelmatig bij haar, bekende haar, ging in tot haar en zij baarde hem zonen en daarbij, de man vond de roze vrouw niet aantrekkelijk. Aantrekkelijk vond hij eigenlijk alleen donkere vrouwen die zwanger waren.' Ferwerda zweeg en krabbelde op zijn hoofd. 'Waar was ik' vroeg hij ten slotte.

'Bij de vetbomen,' zei Ma.

'Vrouwen met donkere ogen,' ging Ferwerda verder, 'donkere matte huid, alles donker als door het duister gebaard. Die grote vrouw vond hij te groot en te licht. Op haar toilettafel wist hij veel potjes met lichtkleurige zalven, tubes, flesjes, vaasjes, kleine kwastjes en schaartjes.

En het gebeurde eens dat hij haar alleen bezocht, voor een kleinigheid en het geviel dat zij baadde. Zij opende de voordeur, stevig gehuld in een ochtendjas en met vochtige slierten haar om het hoofd. Zij liet hem in de huiskamer, verontschuldigde zich en trok zich weer terug in de badkamer.

De man bleef achter voor het raam en keek naar het stille pleintje. Hij zag de tafel, de stoelen, de kunstboeken met foto's, de reprodukties aan de wand, de encyclopedie in de kast, de vazen en de bloemen. Een groot, leeg, roze leven en hij zag dat ze niet alleen onaantrekkelijk was maar ook zeer eenzaam en hij zag dat eigenlijk voor het eerst.

In het huis ruiste en plaste de douche. Na een poosje stond hij op, bad God dat Hij hem zou begrijpen en beschermen en klopte aan de deur van de badkamer alwaar hij haar oneerbare voorstellen deed. Hij zeide verteerd te worden door een groot roze verlangen dat vol was van grote roze handen.

Zij stond daar met de deur op een kier, bol van verrukking en met een enorme badhanddoek tot aan de kin. Over haar hoofd dreven sliertjes welriekende damp naar buiten, maar ze wees hem terug met uitgestrekte, roze arm, kleedde zich haastiglijk aan en bezwoer hem in de kleine huiskamer, toch verstandig te zijn, sterk te wezen, zich te beheersen, een mán te zijn, aan zijn lieve vrouw alsmede aan zijn kinderen te denken. Ze nam zijn hoofd teder tussen haar grote roze handen met ergens aan de rand van zijn blikveld een grote groene ring, en herhaalde dit alles vele malen.

De man wist dat hij haar leven, haar ei, van wat onverslijtbare vulling had voorzien en hij prees de dag en zijn Schepper dat alles zo gelopen was als hij had gewild. En hij ging naar huis met een warm gevoel goed gedaan te hebben, maar ook aan een groot gevaar ontsnapt te zijn. De vrouw bleef alleen achter, zijn woorden bewarende en overleggende die in haar hart.

Het grote roze wezen vertelde het echter wel aan zijn vrouw. Dat gebeurde, dat voltrok zich als een wet. In ieder gesprek vertelde ze een beetje meer. Ze kwam nu ook vaker op bezoek, boetseerde met haar grote roze handen steeds completere beelden en kon daar eenvoudig niet genoeg van krijgen: ze fluisterde, lispelde, sprak met steeds heter adem, greep alle schimmen die met broek en baard ooit om haar bed hadden gestaan, smeedde hen in elkaar tot de blote harige gestalte van de Godvrezende trooster en legde hem tussen haar bloedwarme dijen die omhoog stonden in de douchecel als grote dampende roze varkens. Ja, een grote, blonde, roze Lilith voer door zijn huis, maar ondanks alle ellende door haar influisteringen ontstaan ging hij haar steeds meer bezoeken want zij was hem begeerlijk geworden gelijk een grote, zwarte, zwangere... En zo baart het licht de duisternis, de vriend de vijand, de deernis de zonde. Ja, het boze stamt van goeden huize.'

Na enkele streepjes strijkkwartet steeg sonoor een mannenkoor omhoog. Vogelaar schrok en meende zich een kort moment in de hemel opgenomen. Het was de dwarsgestreepte die bij de radio zat en met gespierde handen aan de knoppen draaide.

'Al het aanraakbare, streelbare, hoorbare,' zei Ferwerda tevreden, 'is om zo te zeggen van duister doortrokken. Zo vind ik bijvoorbeeld zelfs het zonlicht van een korrelige structuur. Hoe harder, hoe donkerder, hoe meer iets bestaat. Denk aan het valse, het afstotende, het walgelijke, het wanstaltige... het is dik, duister, hard, rul, vezelig, ondoordringbaar, maar het schone, het verhevene dat wordt steeds lichter en ijler, het neigt tot verdwijnen. Het hemelse licht is een soort oplosmiddel. Kijk naar al die gezichten die gegrepen zijn door het hogere, ze dreigen te vervloeien in glans en glimlach en moeten bijeen gehouden worden door baard en overvloedig hoofdhaar. Wat leven wil moet duister garen als een kostbaar levenssap. Het zal steeds donkerder worden.'

Vogelaar keek naar Ma die slaperig zat te oogknipperen. 'Mij staan de dingen in de weg,' zei hij kort, 'ze maken me moe.'

De dwarsgestreepte liet de kosmos even pruttelen en ruisen, stemmen rezen en daalden, schoven in elkaar. Het roze verbond zich met de muziek, tussen de geluiden dreef ergens de Mensenzoon, leerde draaiend en kantelend zijn rol uit psalm tweeëntwintig en bereidde zich voor op het duistere kindzijn.

'Het is geen kerstverhaal,' vond Ma, 'waar is de liefde, daar breekt de schakel.'

'Zal ik het dan maar ergens laten sneeuwen?' vroeg Ferwerda, hij legde de toppen van de vingers tegen elkaar en stak zijn saamgevouwen handen in de richting van het zwarte dunne vrouwtje alsof hij op haar toe wilde zwemmen. Vogelaar zag weer dat ze zwanger was en hij dacht aan Ferwerda's bospad.

In de donkerste hoek van de zaal lag het meisje, wanneer zijn blik door de ruimte dwaalde voelde hij de tederheid onwennig in zijn hoofd als hij in haar richting keek. Was tederheid wel het juiste woord voor wat hij zag: een wit meisje in rollend donker, de vergeten half open mond, de geloken ogen, een verzaligde witte made met een kruisdoodgezicht in onmetelijk hol zwart. Een verboden blik in die kleine gele strook tussen de verzen achtendertig en negenendertig van het eerste hoofdstuk van Lucas.

'Op school,' zei hij, 'zag ik eens een plaat waarop Zeus in de gedaante van een wolk over een maagd heenrolde, een zwarte roetwolk als boven een fabrieksstad.'

'Zeus? o ja?' vroeg de heer Ferwerda en hij onderdrukte een geeuwtje.

'Ze leek op een meisje uit de klas. Ze droeg het haar strakgekamd en in het midden gescheiden geloof ik. Ja het midden.'

'Kinderen,' zei Ferwerda, 'zijn hard en steenachtig, ze willen alleen maar groeien. Kijk in hun ogen, dan zie je het kwaad...'

'Waar is de vreugde,' vroeg Ma met verstilde stem en ze bewoog haar grote bleke handen op een trage, berustende manier.

Vogelaar zuchtte, hij had liever nog wat in de richting van het meisje zitten staren, luisteren hoe het gesprek langzaam uit elkaar viel, maar hij kende Ma en het dwingende verdriet in haar stem dat allen noodzaakte haar aan te zien. Ze hield van een gezellig gemeubileerd verdriet, groot publiek groot spel, en hij zag het gebeuren. Ze werd groter door al die aandacht, mooi en vol zoals ze daar zat met het dikke, door de jaren niet grijs of glansloos geworden haar. Het haar was haar weelde, het had de blauw-zwarte glans van torschilden of van machineolie. In het haar jeugd had ze de polsdikke vlechten eens kunnen verkopen, oud verhaal. Door de bril die ze droeg waren er feestlichtjes genoeg in en om de ogen, maar dat maakte tranen nog niet onmogelijk. Ma was sentimenteel, ze kon haar ogen laten verwateren op ieder moment dat haar goeddacht en een grote, naar aarde riekende droefenis was dan om haar heen, iets slaperigs ook, iets van regen en zwaar druipend gebladerte. Haar hoofd bevatte alle seizoenen van de stemming in een en hetzelfde moment: van diepe vreugde tot schrijnend verdriet, het lag bij haar klaar als stapeltjes gesteven linnengoed in een solide, donkere kast.

Ma was ze geworden door een zoon, Puck, een dode vriend nu. Op het buffet dat donkergeel glansde bij het venster van haar eigen overvolle kamer stond de foto, een klein altaar van de verdrietscultus. Een bescheiden lachende jongen keek de kamer in: haar ogen, ook vol lichtjes, stevige tanden en dik weerbarstig haar, dat goed gekamd was voor de eeuwigheid. Aan de voet van het portret lag de pijp die hij op de foto in de hand hield. Dat gaf aan die pijp iets merkwaardigs mee alsof hij in de diepte nog steeds werd vastgehouden. De kop was afgedekt met een klein stukje cellofaan, op de bodem was nog wat heilige tabak te bespeuren, maar dan moest men het hoofd wel op de buffetloper leggen want Ma wilde niet dat de pijp werd aangeraakt.

Een enkele maal zette Ma er een bloemetje voor, op het pluchen lopertje met de paarse strepen, vaak ook niet, zelfs vaak op hoogtijdagen niet, dat lag allemaal grillig want de wetten van haar verdriet waren ondoorgrondelijk, van haar vreugden trouwens ook, ze waaiden voorbij of gingen gewoon in elkaar over met een verbazingwekkend gemak. Puck was op zee omgekomen, zwemmen kon hij als een vis, dat wel, maar de zee is de zee en zo zou hij uit de oorlog niet terugkeren.

Een zeeslag; geen ziekte, geen sterfdag, geen graf. Mogelijk verhoogde zo iets de grilligheid van een verdriet, maar het kerstfeest, het feest van de Zoon haalde hem weer terug uit de wateren met onafwendbare zekerheid.

Het overlijden van zijn vriend was destijds in alle richtingen trapsgewijs verlopen: de officiële aankondiging was sterk vertraagd door allerlei oorzaken aan de verre horizon, de vader had het bericht eerst dagenlang bij zich gehouden voor hij er over durfde spreken, en zelf had hij, daar hij in die tijd niet veel meer bij Ma overhuis kwam, het allemaal nog veel later gehoord van een kennis die het weer van zijn moeder had. Het bericht kon om zo te zeggen maar niet tot rust komen, gelijk de zee zelf.

Op een dag had hij het toch tijd gevonden om naar Ma toe te gaan, tenslotte was hij dé vriend geweest. Verdriet is altijd wel ergens vergezeld van schaamte: wanneer men eens poolshoogte gaat nemen en het bekijken, wanneer opgewekte invallen niet zijn tegen te houden of wanneer het maar moeilijk op het juiste moment is op te roepen, en zo was hij een beetje ongerust en verlegen de stenen stoep opgeklauterd en had aangebeld. De trap liep in twee gedeelten naar boven en maakte na een paar treden via een portaaltje een knik van honderdtachtig graden. Op die knik hing een spiegel zodat de trap zowel van boven als van beneden in zijn geheel was te overzien. In de spiegel zag hij het witte gezicht van Ma. 'Hallo,' zei hij stroef en begon te schommelen. Ze wachtte op hem boven aan de trap, en samen liepen ze toen zwijgend naar de huiskamer. Daar sloot ze hem in haar armen. 'Mijn jongen,' zei ze, alsof het allemaal om hem ging, 'mijn jongen.' Het was als een doop en hij kreeg er een vreemd, wat ijl gevoel van in het hoofd. Het was ook voor het eerst dat hij zich zo door haar omvat voelde. Overal waren haar harde, zwarte kleren die zachtjes kraakten met hun ademhaling, en vlak bij zijn wang was haar grote hand waarvan de pink een sierlijk knikje bleek te hebben in het midden, wat aan de omhelzing nog iets extra teders gaf. Verdriet overmande haar, de kamer was stil en rustig, ze stonden beiden roerloos. Het duurde lang vond hij en na een tijdje sloop hij als het ware voorzichtig onder het verdriet uit en spijbelde naar haar armen, haar boezem, haar buik, haar warmte. De kamer was wat schemerig, het meubilair zwaar en donker en hier en daar gloeiden wat pluchen kleden. Hij stond midden in het verdriet, maar Ma gaf hem een warm lichaam en heel ver achter hem een ziel, een dode Puck, draaiend en langzaam buitelend in de zee. Voortaan ben jij onze zoon... Hij gaf geen antwoord, de stilte viel weer en een hand van Ma kwam tot rust op een plaats dicht bij zijn achterwerk. Een strelende hand met een tedere, schalkse pink en hij voelde dat het onmogelijk was om medelijden met haar te hebben. Het was een helder gevoel, een bijna gelukkig gevoel, het was of de hand op zijn bil hem zwevend hield en aan de troostwoorden kwam hij niet meer toe.

Iets dwong hem ook later troostende, zachte elementen te vermijden in de verhalen waarvoor hij zijn moeder had uitgekozen. De vader van Puck, nu bereids helder ter ziele, maar wiens bestaan toen wat waziger was geweest, was een koele, rustige man, administrateur op het conservatorium waar hij hem wel eens samen met Puck had opgezocht. In een vale ruimte zat de man aan een grote, glanzende tafel en overal om hen heen waren flarden muziek; loopjes, tierelantijntjes, schaamteloos galmende stemmen. Een doezelige, zomerse kakofonie die de vader echter niet in zijn tabellen stoorde. Een vreemde man: wanneer hij met de vlakke hand een daverende klap op de tafel gaf, zo'n klap van 'nou is het uit...', dan zwaaide langzaam de deur van de brandkast open. Hij deed het op verzoek, zijn gezicht bleef er onbewogen bij met misschien diep in het oog iets van een twinkeling. 'Een spiritistisch knechtje,' zei Puck die wist dat zijn vader aan occulte zaken deed en al die elementen waren in zijn verhalen terug te vinden. Hoe verliest zo'n man een zoon? Onbewogen en met twinkelend oog ongetwijfeld want eigenlijk kon een spiritist geen zoon verliezen, die ging over of zo iets.

Zo was de vader mannelijk en onbewogen en was Ma tegen hem aan gevallen met een schrei, een schreeuw...

'Ach God.'

'Ja,' treiterde hij, 'een schor, mannelijk geluid. Als je het vraagt, doet hij het nog eens voor je na. Ze praat er altijd over, soms, als ze alleen is, doet ze de handen voor de ogen en houdt de adem in tot ze bijna stikt. De zee, begrijpt u... ademnood en duisternis. Ze is er altijd mee bezig, een soort herkauwen is het tot de brok is verteerd,' en hij herhaalde langzaam: 'ademnood en duisternis,' als drong de ontzetting stukje bij beetje ook tot hemzelf door.

Zijn moeder keek hem met kleine ogen aan. 'Jij hebt geen hart,' zei ze. En met een gevoel van tevredenheid gaf hij daarop geen antwoord.

Na het verlies van de zoon was Ma zwaarder geworden, de matrone stond in haar op alsof het verdriet haar pas tot volle rijpheid had gebracht. Ze droeg overwegend zwart, een mooie vrouw, geschonden Grieks profiel, een boekenkasteblik, indrukwekkend en zeer vrouwelijk, zo zelfs dat de vraag opkwam of er ook naast de occulte vader andere mannen voor haar over de aarde hadden gewandeld met een voldoende inzicht in de getijden van haar hoofd. Andere kinderen had ze niet en soms overwoog Vogelaar dat de verdronken zoon het kind was geweest van helemaal niemand en een hem onbekende Ma. 'Vreugde was er anders ook wel bij de aankondiging van Johannes de Doper,' leerde de heer Ferwerda met komisch omhoog gestoken wijsvinger, 'velen zullen zich verheugen, sprak de engel, want Hij zal groot zijn voor den Here en dan, waren er ook geen stemmen die beweerden dat Christus pas in de doop is geboren door de vereniging met Gods geest?'

'De vreugde hoort bij het kerstfeest,' zei Ma droef en gelaten, 'het is een wonder.'

Er was veel zon, onhuiselijk hard licht drukte op zijn achterhoofd, zijn schouders, en perste het zweet uit zijn lendenen. Er liep veel volk tussen de kraampjes: vochtige, rode babykoppen met een sigaar erin, lelieblanke, vette halzen met zwarte kroezende haartjes uit de openstaande kragen, dikke schommels met korsetteruggen, als zuilen gevuld met een trillende gele vla die er aan de bovenkant overheen bolde. Sommige van die vertebraten waren mank, na een leven van gesabbel, gesmak en gelik zakten ze door hun ruggen en heupen, zwaaiden zorgelijk kreunend over geweldige afstanden heen en weer en beletten iedereen hen te passeren. Dan viel de zon weer op; ze drukte achter de ogen en schroeide op alles wat van de menigte afviel: schillen, watjes, peukjes, stukjes vis, fonkelend slijm. De visstalletjes ademden droefheid; nevels over stranden, groene diepten, krullende golven over bleke voeten. De palingen in de kistjes stuipten nog wat om de blokjes ijs, geweldige kabeljauwen sperden hun verdrietige muil en lieten hun tong zien.

'Berouwt, berouwt...' schalde de stem. Hij zoog zijn longen vol vochtige vislucht en schuifelde in de richting van de stem. Het was een broodmagere man in een oude zwarte regenjas die op de versleten plekken groenig glansde. Wanneer hij zijn mond tot een zwart gat opensperde trokken alle plooien in zijn verfrommeld gezicht verticaal. Hij stond achter een stalletje zonder kap, de zon schitterde in rijen groenige flesjes. Midden op de tafel stond een zinken emmer.

'Berouwt,' schreeuwde de man terwijl hij de flesjes

nog wat ordende. 'Berouwt.' Hij breidde de armen uit. 'Maar dat hoeft niet altijd, dat hoeft niet de hele dag door. Daar heeft God niks aan, al dat geknies en geknor is maar slecht voor de lever. Waar of niet mevrouwtje? Wat zegt u tegen uw man als hij thuiskomt met een gezicht van ouwe lappen en tien dagen slecht weer? U zegt "is er wat?" en wat zegt hij?... hij zegt "nee... niks...". En zo is het ook mensen, die stumper wéét ook niet wat hem mankeert, maar ik zal de sluiers eens oplichten in die hoofden van jullie. Ja... ik zal jullie helpen zowaar ik Japie van alle weken heet. Wat zie ik hier, als ik zo rondkijk? Wallen onder ogen, kale koppen, rimpels in alle voorhoofden, lijnen om iedere mond alsof ze er met een mes zijn ingezet. Geen lach te zien... wat een misère, wat een knoedel verkrampte ellende. Wat is er dan toch? Vreten jullie alleen maar zuurtjes, drinken jullie alleen maar azijn? Wat lopen jullie stijf, kramp in je gat? Maar dat gaat zo niet... evenbeelden van God, tempels van Zijn Geest, daar is wat aan te doen, waarachtig wel... en ik geef jullie het recept. Luister, na jarenlange onderzoekingen in de laboratoria te Bombay heeft een groep Britse geleerden het ontdekt. Geologen staken de koppen bij elkaar, Egyptologen de hunne er tussen, duizenden onderzoekingen werden verricht, mijnen gegraven, zeeën onderzocht, sterren berekend en de aardkloot bestudeerd vanuit de ruimte. Computers rekenden het allemaal voor jullie uit, ze stonden jarenlang roodgloeiend te zoemen en floep... daar was de boodschap, de heilsboodschap. Geen beslag meer op de tong, geen kraaiepoten meer om de ogen op jullie veertiende jaar, geen bekken meer als tabakszakken, geen maagzweren meer als zeeanemonen in golven zuur. Koel heilbrengend vocht zal weer doordringen tot in alle capillairen van jullie verdorde organen. Mijne vrienden zegen de dag die jullie voor mij bracht. Mijn firma heeft mij toestemming verleend om het jullie te zeggen en mede te delen. Wat zit er in deze flesjes? Het antwoord op al die vreugdeloze blikken, balsem voor al die koppen van "morgen is deze dag ook weer voorbij". En wat is het, wat hou ik hier in mijn hand alsof het zo maar niets was? wat fonkelt hier als een smaragd? levend water, beste mensen, echt orgineel Jordaanwater waaraan het zo broodnodige kaliumhydroxyde en magnesiumpentaan is toegevoegd. De vinger even bevochtigd op deze wijze, de huid van het voorhoofd even aangeraakt op deze manier en het lichaam ontwaakt, strekt zich en zuigt het op met gretige poriën. Geleerden hebben met geweldige apparaten het geluid daarvan kunnen vastleggen en ik zeg jullie het lijkt op het gebrul van een leeuw in de woestijn. Water, echt, orgineel, onvervalst, capillair actief gemaakt Jordaanwater. Iedere ochtend na het ontbijt een klein kruisje op het voorhoofd en er komt een nieuwe ruimte om u heen, u wordt een bewoner van een andere wereld. Dames en heren, u let op het etiket, Bethabara en Co, dat is mijn firma, u let op de sluiting want er zijn al vervalsingen in omloop en u geeft een gulden voor een flesje. Een gulden voor dit vocht der vochten komt in mijn hoofd niet op, ik laat het u voor vijfenzeventig cent, drie kwartjes. Drie kwartjes voor dit flesje... nee, u geeft één gulden voor de twee, dat is een voor uzelf en een voor een vriendendienst.'

De man haalde diep adem en hief bezwerend en afwerend de handen op. 'Alleen er is nog een kleinigheid, een kleinigheid. U zult zeggen, wat nou nog? Helpt het of helpt het niet maar neemt u een goede raad van mij aan, van iemand die het goed met u meent. U meneer en u daar mevrouw en jij daar kereltje. U moet ook zelf iets doen, ja ook zelf iets doen. Ik hoor u al zeggen, aha, doe het zelf, maar dat hoeft nou ook weer niet. Doe *iets*, een kleinigheid, leer uzelf een onschuldige gewoonte aan. Het is niet moeilijk en ik zal zeggen wat u doen moet. U gaat voor de spiegel staan, 's ochtends is het beste, u kijkt uzelf diep in de ogen en dan zegt u: "Zo, gore rotzak, ijdele haan, nietswaardig stuk vreten." Ja, ik noem nou zo maar wat, ik bedoel er niets kwaads mee, maar het gaat er om dat u eventjes ziet wat voor een gezicht daar voor u staat, dat gezicht dat u de godganselijke dag maar loopt te verontschuldigen. U moet leren het ook steeds meer te menen, even te ontspannen als het ware, u moet het zonder vooroordeel tegemoet treden en dan zal het u invallen: "De zwetser, de onaanspreekbare windbuil, het linke kereltje, de egoïstische schraper, de sluwe poepzweter, de pretentieuze wouwelaar." Iedere dag het riooltje even open en voor de stank helpt dan weer het onvolprezen water. Berouwt, berouwt en scharlakenrood wordt als witte wol. Komt vrienden, een beetje durf... het bijltje aan de wortel van de rotte boom gezet...'

Het leek of de man groter werd naarmate hij langer sprak. Zijn haar wapperde en flakkerde in alle richtingen alsof er een wind uit zijn hoofd blies. De vissen stonken en de damp trok in dikke groene sliertën over de tafel, krullen draaiend om de man en zwart bij de bochten. De man begon zachtjes te golven alsof hij weerspiegeld werd in traag kabbelend water. Alles werd steeds lichter en vloeiender, langzaam stijgend door de hitte die van de straat sloeg. Alles kringelde en zigzagde in het licht met kleine spattende regenboogjes. De man stak een vinger in de lucht alsof hij voelde waar de wind vandaan kwam en begon dom te staren. Hij begon steeds sterker te golven, het begon bij zijn voeten. Vogelaar zag de bleke stengels schuifelen en trappelen, de zwarte regenjas plooien en kronkelen alsof de man ermee worstelde. Zijn hoofd, eerst even aarzelend, volgde, uitstulpend in alle richtingen: tong uitstekend, fronsend, gekkebekketrekkend met nu en dan een hemels ooggeklap.

'Eerlijk zijn, daar gaat het om,' riep de man, 'een beetje eerlijk. Probeer het nou toch eens. Wil ik het jullie voordoen? U ziet het dames en heren, daar loopt er al eentje weg en daar is ook al zo'n hazehart. U ziet het zelf, eerlijkheid is als een sproeiend gif. Ik verkoop graag, verdomd, maar alleen aan eerlijke mensen. Kom, vooruit flap er eens wat uit wat niemand weten mag, wat een geheimpje blijven moet tussen ons allemaal. Reinig u eens, spuw eens goed uit, purgeer maar eens flink. U daar mevrouw, u ziet er zo aardig uit, beetje voos misschien, wat te dik, beetje te veel goud ook aan die armen. Versier u toch niet te veel, waarom goud te hangen aan wat men moet leren uit te kotsen. Kom lieve mevrouw, lekker dier, mijn fijne warme roomklodder, mijn hupse troelala.'

'Ik wil met mijn zoon naar bed,' riep de aangesprokene, de ringen spatten vonkjes aan haar wild bewegende handen, haar keel werd rood en zwol. 'Met mijn zoon, met de vrienden van mijn zoon. Een groot bed met piepende veren, piep... piep... Een naar gras geurend lijf om te omarmen, een lijf dat míj omarmt, dat mij streelt, knijpt, kwelt... O God, die goud overstoven harde poten, die schouders, dat warme haar... die benige heupen, hard als hout maar lenig als rubber...'

'U hoort het,' riep de man triomfantelijk, 'hoe zelfs uit tantes een poëem is te knijpen als ze het over de zonde mogen hebben. Maar ze staat te glimmen als een oliebol en dat is hier de bedoeling niet. U daar?...'

'Ik heb onkuise gedachten gehad,' riep een andere vrouw met dunne geknepen stem. Ze werd afwisselend bleek en rood en haar rug werd steeds rechter.

'Buhh...' de man boerde luid in haar richting. 'U meneer?...'

'Ik heb mijn moeder gedood,' zei Vogelaar.

De man strekte een lange arm uit, een opvallend witte pols schoof ver uit de mouw van de regenjas. Hij trok Vogelaar achter de tafel en zei ontstemd: 'Luister eens, nou geen flauwe kul, al dat oedipusgeleuter dat kennen we nou wel. Piemeltje er aan, piemeltje er af, lekker bij mammie slapen en angst voor slangen in de plee...'

'Ik heb haar gedood,' zei Vogelaar.

'Nou en?'

'Ik voel me niet schuldig.'

De man smakte wat met de lippen en staarde even oogknipperend in de lucht. 'Dat zeg je dan maar tegen je spiegel,' zei hij na een poosje. Hij hield Vogelaar op een arm afstand en bestudeerde hem. 'Je wordt al wat ouder zie ik, toilet maken duurt al aardig lang zeker 's ochtends? Dat is gunstig, dat is gunstig. Die spiegel is belangrijk dus niet te snel daarvan weg en hoe meer je walgt van je spiegelbeeld, hoe schoner je er ten slotte voor komt te staan. Hoe dikker, ruller, korreliger dat beeld daar wordt, des te beter lukt het toilet. Maar niet overdrijven, in eerlijkheid zal men aan zichzelf bouwen. Er zijn mensen geweest die het ver in die kunst hebben gebracht, die om zo te zeggen alleen maar spiegelbeeld werden, al hielden ze ook tegelijk op te bestaan. Je zou dat kunnen vergelijken met een totale onderdompeling, ha, ha... een soort eh... ik moet afnemen opdat hij groter worde, hi, hi...' Hij grinnikte en bedekte de mond snel met een hand, maar niet zo snel of Vogelaar had het sterk gehavende gebit gezien. 'Toilettafelmystiek,' klonk het gedempt achter de hand, 'oefenen maar. Niet haten wat de tong proeft, maar de tong zelf, niet haten wat het oog ziet, maar het oog zelf. U ziet zelf hoeveel verdraagzaamheid er geweven is door deze leer der zelfhaat.'

'Is het de enige weg?' vroeg Vogelaar.

De man lichtte even de hand. 'Let op het etiket,' sprak hij fluisterend en vooroverbuigend, 'er zijn vervalsingen in omloop.'

'Een wonder,' herhaalde Ma.

'Ik herinner mij,' zei Vogelaar, 'dat ik eens door een

dierentuin heb gewandeld. Er stond een klein meisje aan het hek naar een neushoorn te kijken. Er waren geen andere mensen in de buurt, dat is heel zeldzaam. Ik zag het een tijdje met milde glimlach aan, stapte toen naar voren en wees met de punt van mijn stok naar de huid van die neushoorn. Het was een geweldig brok pachyderm, een gebergte. "Kijk eens," zei ik, "is dat geen dikke huid? Die is wel zo dik als mijn hand, vol barsten en modderkorsten, zie je wel?" Ze volgde met aandacht de punt van mijn stok maar plotseling wees ik haar op het oog van het beest. Een verrassend, glashelder en pienter bubbeltje in die woestijn van grauwe klei. "Is dat niet prachtig?" vroeg ik, "dat is nou een wonder. Onthou het maar goed, daar blijft de natuur niet langer stom, stomp en blind maar schiet opeens boven zichzelf uit. Nou...?" Ze draafde weg en riep over haar schouder: "Vieze man... vieze man..." '

De heer Ferwerda liet een glansje op zijn gezicht verschijnen als werd hem door Ma de vreugde bevolen. Hij wreef zich kneukelend in de handen en zei zangerig: 'En toen... en toen drukte de dominee zijn sigarepeuk uit in het oog van zijn catechisante.'

'We zouden iets moeten doen,' opperde Vogelaar, 'iets kerstmisachtigs.'

'Vóór het eten nog?' vroeg Ma.

'Wat is kerstmisachtig, vieze man?' informeerde de heer Ferwerda.

Vogelaar haalde de schouders op.

'Laten we dan gewoon aan tafel gaan,' stelde Ferwerda voor.

De geluiden begonnen weer, kleine krakende netwerkjes in de kamer.

'De afstelknop verdomt het,' klaagde de dwarsgestreepte.

'We zouden een kleed over een of ander paard kunnen gooien,' zei Vogelaar, 'zo'n beest dat ergens staat te sterven van de kou met van die lieve vergevingsgezinde ogen.'

'Ik weet wel een paard te staan,' zei Ferwerda, 'hier vlak bij, in een dierentuin.'

'Toen ik hier naar toekwam,' zei Vogelaar, 'zag ik aan de kant van de weg een eenvoudige daglonerswoning.'

'Puikebest,' kwam de stem van Ma droevig en verstild.

'Nee, nee,' wierp Ferwerda tegen, 'dat is van de weg af niet te zien.'

'Tjerne dan.'

'Kan ook niet.'

'Budde soms, of het Leperkoentje?'

''t Zal Tobias geweest zijn,' stelde Ferwerda vast, 'daar woont namelijk een eenvoudige dagloner: oud, mager, ademt nog zonder bril, een stem als een vioolstreek vlak achter de kam, jammerlijk gebit. Een echt kerstpaard nu ik er over nadenk.'

Nun seh ich wohl warum so dunkle Flammen... zong een snel verdwijnende stem. Het was alsof iemand in het water wegzonk.

'Ik ken die vrouw wel,' glimlachte Ma, 'ze zeggen dat ze kippen ziek kan maken.'

'Die kunnen we dan maar beter uit de weg blijven,' vond Ferwerda.

'Laten we gaan kijken,' zei Vogelaar.

'Als ze je ziet is het met je gedaan,' zei Ferwerda.

Vogelaar stond op. 'Wie gaat er mee?'

Een moment de enige in het vertrek die stond, zag hij opeens hoe allen daar zaten. Achter in het vertrek, in schemer en schaduw lag het vergeten meisje dat nog niet had gesproken. Dat kon niet, hij kon het nachtelijke pad niet op zonder te bestaan in dat ongetwijfeld lieflijke hoofd.

Hij liep naar achteren en zette zich naast haar in een stoel, al sprekend terwijl hij haar nog nauwlettend bekeek. 'Dat is nou ook pech, ziek op kerstmis.'

Hij hoorde het zichzelf zeggen, voelde zijn tong, zijn wangen bewegen alsof ze niet meer van hem waren, zich vertrouwelijk voorover buigen, een hand uitstrekken... Op weg naar haar toe was hij langs de dwarsgestreepte gelopen die blijkbaar de oorlog aan de stilte had verklaard en de knoppen geen moment met rust liet. Hij had een brede rug, naar onderen smal toelopend in twee welvingen en grote gespierde handen met veel knokkels. Door het nimmer aflatende kosmische geknetter en gekraak waren die handen voortdurend aanwezig.

Hij liep in het ziekenhuis in militair uniform, dat gaf soms voordelen, maar meestal niet. Meestal was je een proleet in al dat stoffige groen, een klonterig wezen, even nadrukkelijk aanwezig als onhuiselijk buitengesloten, zoals een galeiboef die iemand varen moest van koninklijken bloede. Ziekenhuizen riepen dat op, één zuster die een bevroren blik liet strijken over de krijgsman die nog rook naar het veld en zijn zelfvertrouwen zakte weg alsof er takjes heide uit zijn gulp staken of vanonder zijn baretje met vettige leren rand. Hij wapende zich er tegen met kwieke tred en jolige toon, iemand die de hindernissen snel wilde nemen, maar dat maakte nog kwetsbaarder. Zusters hadden dat door, ze wachtten even, dat vervloekte, eeuwigdurende even en gaven dan koeltjes antwoord.

'Waar is die zuurstoftent zuster?' Wist hij veel van een zuurstoftent? Meende op te roeien naar een gezellig samenzijn ergens op een daktuin, want warm was het toen wel geweest. In de gangen lagen blokken zonlicht, servies tinkelde lieflijk in de verte, overal waren de deuren gesloten achter nummers, doktoren wit als het zonlicht liepen pratend voorbij, de handen gebarend in verfijnde bespiegelingen. Hij vond zijn zieke vriend slap en geel in de kussens onder een tentje van golvend plastic; dikke opbollende buik onder de dekens, pianospelende vingers, alles sterk vervormd. Nu en dan trof hem een blik die hem niet meer herkende, praten was onmogelijk, en dát was de zuurstoftent.

Ik kom hier niet meer, had hij gedacht, ik verdom het verder, ik zit hier voor nop, en hij was ook niet weer terug geweest.

Zijn vriend had hij teruggezien in het crematorium; speelgoedhemeltje, grasveldje, vijvertje, witte schelpenpaadjes, een krijtwitte koepel op een groene heuvel. De kist zakte, valse triste klonk uit een verborgen orgeltje. Als een zon zonk zij in de aarde. De mensen moesten niet zo op elkaar lijken. Die dwarsgestreepte die zich daar verveelde aan het heelal... Grote rode handen had die vriend gehad, veel te groot en te rood staken die aan zware polsen uit de mouwen van zijn eeuwige bruine jasjes.

Een strijd was er tussen hen geweest onder de naam van vriendschap: rode handen tegen het hoofd van een wandelaar, een lezer. Verstrooide boekenwurm contra vaardige handen en praktische geest die radio's maakten. Aan de meisjes was de belissing. De grote handen soldeerden, hij zat aan dezelfde tafel en las. De taal van de vriend was; eindpit, eindtrap, voeding, circuit, volt, ohm, schema. Wat er achter die woorden school stelde steeds teleur.

De vriend verzorgde met zijn snoeren, versterkers en luidsprekers ook buurtfeesten.

'Lots of fairy queens' heette dat toen als het feest veel beloofde. Let even op, zei de vriend en danste weg in het gewoel, de rode handen teder geheven. Hij bleef bij de toestellen die in zichzelf verdiept stonden te glanzen: prachtig afgewerkt, met strakke lijnen, maar koud, zwart, eenogig en onmenselijk. Hij kende die apparaten, zacht brommende, vreemde insekten. Op de werktafel konden ze, wanneer de lampen brandden, toch nog intieme inkijkjes vertonen, maar de handen van de vriend lieten zich er niet door van de wijs brengen. Het waren abstracte ding-handen en waar ze mee bezig waren veranderde. Dat bleek. Op een keer tilde een dikke rode vinger een testikel omhoog: 'Moet je zien, dat ding wordt steeds maar groter, wat zou dat kunnen zijn?' Hij knielde neer en keek, even een machtig man. Hij zag de onderbroek wit en warm door al de onbewogen glanzende apparaten in het kamertje, hij voelde de platen aan de muur, de vreemde nerven in het tafelblad die hij alleen kende, allemaal dingen die hij opeens samen bewoonde met de vriend en daarom zag hij het al direct ernstig in. Dat was het begin geweest, zelden had hij iemand moediger en aardser zien sterven; regelend, organiserend, ordenend en schikkend zolang het nog kon. De vriend wuifde hem na achter het raam van de ziekenhuiskamer toen hij nog op mocht, maar al spoedig verliet hij het bed niet meer.

Hijzelf was toen in militaire dienst, een ernstige regiefout van de hogere machten, maar zorgvuldig gedirigeerde rijlessen zorgden toch nog voor een regelmatig contact. Terwijl hij toenam in rijvaardigheid zag hij de vriend geleidelijk aan magerder worden en geler. De vriend zag dat ook, maar volgde alles met technische blik. 'Moet je voelen, mijn hele buik zit vol gezwellen.' 'Ben je gek,' had hij geschrokken geantwoord, want voor hem broeiden gezwellen alleen in het verborgene. 'Waarachtig... hier, voel maar.' Hij had zijn stoeltje aan geschoven en zijn hand op de bobbelige buik gelegd, zijn vriendenhand van totaal andere makelij. Stel dat hij toen had kunnen zeggen: 'Ik zal je genezen, ik ben je vriend, ik heb een lezershoofd, een hoofd des geestes.' Hij had toen vurig gewenst, een beetje beschaamd, maar toch ook wel teleurgesteld dat God geen wonderen meer deed op de juiste momenten. Híj zou dat niet hebben kunnen nalaten. Een goeie vriend die de almacht van de handelende handen eens en voor altijd had vastgesteld, die vriend zou hij hebben ontworteld, het heelal van deze homo faber in gruizels hebben geslagen. De vriend geloofde niet in de vriendenhand, veegde hem weer van zijn buik zonder daar verder nog bij te denken. Vol nukkige bewondering was hij geweest voor al die helderheid en hardheid.

'Bestraal mij nog een keer,' had de vriend gevraagd aan het ziekenhuis, 'maar dan zo dat ik nog een keer met vakantie kan,' en de röntgenoloog had hoofdschuddend zijn apparaten, zijn ongetwijfeld glanzende en zoemende apparaten, een paar onverantwoorde streepjes verder gezet. De vriend had dagen gekotst, want dat was de prijs, en met bruine brandplekken op zijn geslonken buik was hij met zijn vrouw, die Chrisje heette en op zijn verzoek niet was ingelicht, naar de bergen vertrokken en had daar in een ligstoel op het terras de zon zien op- en ondergaan, de sneeuw gezien achter zijn vermagerde handen en glimlachend als een grijsaard zijn vrouw zien skiën op de weiden aan zijn voeten. Op de terugreis had hij de piloot van het vliegtuig wél ingelicht, zijn gezicht stond borg voor de waarheid, en in de cockpit had hij de aarde onder zich gezien, de lichtjes, alles ruim en hoog en de hele kosmos was vol rustige krakende mannenstemmen geweest die daar voor de veiligheid zorgden. Terug in het ziekenhuis, waar hij direct weer naar zijn bed moest, was ie geler geweest dan ooit: door zijn verziekte lever en door de zon uit de bergen. Vogelaar had zich op de lippen moeten bijten om niet in een zenuwachtig gelach uit te barsten. Zo was de vriend van de handelende handen gestorven. Over het hiernamaals hadden ze het nog een keer gehad, hij in zijn uniform dat het denken sterk belemmert, de vriend in zijn pyjamajasje. 'Ik weet het niet,' had Vogelaar gezegd, 'ik weet het verdomd niet.' Zijn gedachten waren alweer bij de rijlessen geweest en de wachtende instructeur. De vriend had wat voor zich uitgekeken, de hand op de buik, zijn gedachten mogelijk bij het vliegtuig en de vele bakens in het heelal.

Er waren ook allerlei al te menselijke taferelen geweest daar aan dat bed: ouders en echtgenote streden op het laatst om de absolute genegenheid van de stervende, die al maar moeier werd en de verlossende woorden niet meer kon spreken. Op de crematie sloeg Chrisje haar armen om zijn nek en snikte het uit: 'Jij hebt hem getroost... jij wel...' Hij was even ontroerd geweest. 'Ik?' en hij had gedacht: 'Zo... zo, ik Vogelaar, dan besta ik nu ook in de hemel... dan weten ze daar van mij.'

De vriend zonk in de aarde, verdween op een toneeltje, valse triste, nog op verzoek van de vriend zelf. Een te snelle, wat jengelende klompendans, alles op dat orgeltje, men kan tenslotte niet alles organiseren. Maar nog vaak zat Vogelaar aan dat bed, met een hoofd vol vrachtwagengeluiden van de rijles, legde de hand op de knobbelige buik van de vriend en zei met zachte, milde stem woorden waar hij het voor zichzelf maar niet over eens kon worden, maar in ieder geval onbegrijpelijk voor de vriend, en de knobbels verdwenen. De noodzakelijkheid dat er een wonder had moeten gebeuren maar dat het was uitgebleven schrijnde keer op keer in zijn onmachtige wensdroompjes.

Die dwarsgestreepte daarginds, met zijn handen aan de heelalgeluiden, was ook al zo'n dingman. Zij soldeerden de waarheid bij elkaar dat men blijkbaar ook zonder God kan leven en sterven. De rug van de vriend had ie duidelijk, eigenlijk zat de man overwegend met de rug naar hem toe. Het hinderde hem, het meisje in de ligstoel had hem overgevoelig gemaakt met haar verhulde, ziekelijke lichaam. De dingen wilden niet verdwijnen, hingen allemaal samen. Het was als met het afval van ruimtereizigers dat maar om hen blijft zweven. Steeds zwaarder werd het te leven, tot stikkens toe hing alles samen. Alles kreeg onoverzienbare betekenissen alsof steeds meer steeds verder uit elkaar viel.

'Dat is zo...' knikte hij weer, 'dat is zo...' Hij hoorde het zichzelf van binnen zeggen en voelde op hetzelfde moment dat hij, als toen, niets wist te zeggen of te bedenken.

Hij bekeek zwijgend haar gezicht, weggedoken in zijn rol van ziekentrooster. Ze had een mooi, bijna te regelmatig gezichtje, een beetje madonna-achtig en hij voelde een oud gevoel in zich opstaan dat behaaglijk en warm ging samenspelen met wat abstracte vrouwenhonger. Haar hoofd lag scheef tegen de hoge leuning van de stoel, ongetwijfeld de gemakkelijkste stoel van het hotel. Ze droeg een rood truitje waarop een paar wazige motiefjes, een rode arm was te zien, de rest was deken. Zo in die deken deed ze hem denken aan iets dat half in het water lag en half op het strand, zoals alles half was in het huis, half werkelijk, half slaap. Het gevoel van onmacht verliet hem niet. Het was een onaanraakbaar meisje, stelde hij vast.

'Ik heb geen eetlust,' zei het meisje.

Het verbaasde hem niet, dat kinderlijke protest, over zijn schouder sprak ze ook tot de anderen. Ze waren wel stil daar achter zijn rug, maar ze letten op en luisterden.

'Wist je,' zei hij mat, 'dat het buiten nu enorm donker is.' Hij bemerkte dat hij aan het terugzakken was naar de kindertaal, de heldere koerende zinnetjes.

Ze glimlachte nu, zonder het te weten vermoedelijk. Ze deed het alleen maar omdat ze werd aangesproken, buiten zichzelf om. Ze lag daar wel ver van het kerstlicht, het deed hem even denken aan die verre planeten die het maar met een schijntje zonlicht moeten stellen en schemerig en wat groenig rondtollen, zoals Uranus. 'Buiten,' zei ze onverwachts, 'drijven er allemaal vlekken over het pad, als je van binnen komt. Ma zegt dat dat komt omdat ik nog zwak ben.'

'Je eet ook niet,' zei Vogelaar, maar hij troostte haar

dadelijk met een: 'Ik weet wat je bedoelt, van die grote blauwe ballen. Dat heb ik ook wel. Soms denk ik, we zitten allemaal in een kerstboom. De stam staat bij het station en wij hangen er allemaal aan: meneer Ferwerda als een herdertje, die meneer aan de radio als een...'

'En wat bent u dan?'

'Jij bent een engeltje natuurlijk en ik... ik ben de Here Jezus.'

Hij had er bij willen lachen, maar zijn gezicht bleef strak en houterig.

Ze schrok, de hand kwam even omhoog van de deken in de schemering van Uranus en viel weer terug.

Achter zich hoorde hij een stoel kraken. 'Gaan jullie nog?'

Het was Ma, jaloers op een voor zich uitstarende man bij een meisje.

Ze verzamelden zich in de gang, traag en rommelig, maar voor ze naar buiten stapten ging Vogelaar nog even naar de WC. Daar deed hij het haakje op de deur, knipte het licht aan, haalde een lucifersdoosje uit zijn zak en hield dat omhoog in het licht. 'Lieve God,' zei hij, 'ik vind dat een mooi meisje. Houdt ze van me? Heb ik een geweldige indruk op haar gemaakt? Gaat ze ontzettend veel van me houden?' Hij tikte met zijn duim tegen de rand zodat het doosje kantelend door de lucht suisde. Het blauwe vlak kwam boven. Dit betekent alles blauw blauw laten dacht hij teleurgesteld. Maar ik heb ook niet eerst gevraagd welke kant boven moest komen, ik heb over God beschikt en dat is oneerbiedig. Hij raapte het doosje weer op, hield het bij de bungelende trekker van de WC en zei: 'Lieve God, Vader in de hemel, is dit de goeie kant?' Maar de gekozen zwaluw kantelde niet boven. Dat is een goed teken dacht hij, dan was het dus tóch goed zoëven, dat blauw. Daar gaat ie dan. Vlak bij de voet van de porseleinen pot lag het vogeltje... svalan... Vogelaar fronste. 'Dat is éénmaal,' zei hij, 'dat is nog niks, het moet overtuigen en dat is dus tweemaal van de drie keer blauw of vogel, dat geldt pas.'

Er werd op de deur geklopt.

'Ik kom,' riep hij hoorbaar met toiletpapier ritselend, 'ik kom zo.'

Hij wierp het doosje in de lucht, hoorde het met gesloten ogen vallen en na een poosje keek hij. De gehate zwaluw uit Uddevalla was er weer. 'Nu gaat het erom,' dacht hij, nerveus, 'nu gaat het erom, de laatste keer is altijd de belangrijkste.' Hij wierp het doosje in de lucht en keek pas toen de stilte weer was teruggekeerd. Vogel. 'Drie van de drie,' dacht hij somber, 'dat is eigenlijk geen twee van de drie zoals was afgesproken.' Teleurgesteld raapte hij het doosje op. 'Onbeslist,' zei hij knorrig, 'als ik een man tegenkom op deze wandeling met een hoed én een bril dan is dat een gunstig teken.' Hij trok door en stapte onder plasgeluiden naar buiten. De gang was leeg. 'Ik kom,' mompelde hij, 'ik kom.' Er werd op hem gewacht buiten op het grind, in het zwakke Uranuslicht van het lampje boven de deur. Ferwerda artistiek met een witte sjaal om de hals, zwarte hoed met brede rand opvallend scheef. Hij droeg geen bril. De dwarsgestreepte stond er niet van harte naast, hoog in de schouders, stampend van ongeduld en kou hoewel beschermd door zijn trui van superwol en gewend aan kou en duisternis van de zee.

'Zullen we?' vroeg hij lusteloos.

Ze begonnen woordeloos te lopen, voor hen uit gaapte het zwarte gat waar het pad in het bos verdween. Om hen heen hing de lucht van een aardappelkelder.

'Wie heeft de mand?' vroeg hij humeurig en met een stem die droog en vlak klonk als sprak hij dicht tegen een muur. 'Welke mand?' klonk het welhaast onvermijdelijk.

'Godverdomme!' riep Vogelaar, 'het lijkt wel of ik tot aan mijn knieën in de stroop loop te waden, het korfje natuurlijk, dát korfje, met een fles wijn, het hompje zoete kaas, een weinig melk en twee kwartjes voor de eieren.'

'Zullen we dan maar teruggaan?' stelde de heer Ferwerda voor, 'drinken we nog een borrel, al die flauwe kul, morgen is er nog een dag.'

'Om de verdommenis niet,' zei Vogelaar verontwaardigd, 'bang voor het donker zeker... wacht hier maar rustig dan ga ik het wel halen.'

'Ma is boven,' bromde Ferwerda omhoog wijzend met een schemerige arm, 'kijk.'

Boven de eetzaal was een venster verlicht en hoog daar boven was ook het kleine dakvenstertje weer met zijn vreemd heimwee. Vogelaar ging weer naar binnen in de hoop dat ze inderdaad op hem zouden wachten. De eetzaal was leeg en troosteloos als een in de middag nog onopgemaakte hotelkamer. De kerstboom ruiste droevig, er zat geen schot in de zaak. Waar waren de etensgeuren? Als hij terugkwam en er stond dan nog niks op tafel dan ging hij vanavond nog terug. Het meisje lag er nog alleen, opgebaard als in een kerk, bleek en ziek. Hij liep op haar toe. Wat te zeggen?... wat te zeggen?... de tekenen waren niet gunstig geweest maar hij voelde dat hij tot aan de nok zat opgetast met tederheden. Wat dan in godsnaam te zeggen? Hij zag zich op zichzelf toelopen: grijzend haar, toch jongensachtig, dat was misschien wel wat. Deugdzaam zou hij zijn op dit feest, deugdzaam maar hongerend, dat zou het ook goed kunnen doen. Geen gepraat meer over het weer, ziekte of eetlust maar iets geheel vreemds moest hij zeggen, iets onverwachts waardoor hij opeens ging bestaan. Ze schrok op uit haar dommel en staarde niet begrijpend de zaal in. Waar kwam ze nu vandaan?

'Waar is Ma?' vroeg hij kort.

Ze schraapte de keel, 'Ma is boven,' zei ze toen, 'zich aan het kleden voor het eten, ik doe niet mee.'

'Geen eetlust zeker,' zei hij.

Ze keek hem wat uitdrukkingloos aan, nog of weer half in slaap.

De trap was donker, de gang boven schemerig, in twee kamers brandde licht. Het ene licht kierde van onder een deurspleet, het andere scheen vrijuit in de gang door een half openstaande deur. Hij koos het meest waterige schijnsel, stak zijn hoofd om de deur en riep daar een zwart vrouwtje op: Indisch, hoge jukbeenderen, gitzwart opgestoken haar. Uit gebukte houding kwam ze overeind met grote verschrikte ogen. In de hand hield ze een schaaltje met kaantjes. Op de vloer tegen de plint lagen ook kaantjes. 'Het is míjn kamer,' zei het vrouwtje, 'ik kan hier doen wat ik wil.'

'Zeker,' zei Vogelaar. Hij sloot de deur en klopte aan de andere. Het bleef stil. Ten slotte deed hij voorzichtig de deur open. Ma stond voor de spiegel, maar zover er vanaf dat hij haar spiegelbeeld niet kon zien. Zichzelf zag hij wel en Ma moest hem ook zien, zijn bleke hoofd als een knobbel aan de deurrand. Ze was naakt tot op het middel, overal in de kamer lagen stukken ondergoed: roze en wit, sommige glimmend, andere weer dof of met zachte intiemere glans. Zo mooi was een dag: iemand stapte uit een station, een man als ieder ander, even later stond hij hier bij Ma zonder peplos.

Hij zag zichzelf aan het andere eind van de verdubbelde kamer, meer zichtbaar geworden nu met een in de schrik smaller geworden gezicht, en hij vroeg zich af wat hij daar zou gaan doen. Hij kon misschien nog besmuikt wegsluipen daar, de gang in met zacht fladderende handen als om zijn gewicht te verminderen of zijn voetstappen bij elkaar te vegen. Spoorloos verdwijnen in een nacht vol rode puntjes. Maar hij bleef, hij wist niet wat hij daar in de verte zou worden wanneer Ma hem betrapte, maar iets trof hem daar in die andere kamer als onvermijdelijk in dit feest dat zich achteruit ontwikkelde. Van seconde tot seconde wist hij niet wat er zou gaan gebeuren, maar bij iedere beweging die Ma maakte in het eigen ritueel ging hij meer bestaan, werd hij zwaarder. Misschien zou ze straks nog huiselijk gaan rommelen in een laatje en zeggen: 'Kijk eens... ik heb nog wat voor je.'

Voorlopig tikte ze poeder uit een busje in de palm van haar grote hand, met kwieke bewegingen die zich voortplantten van de trillende bovenarm naar de schouder en de rechte rug der atheneeën. Aan weerszijden van haar wervelkolom stonden de spieren als de pilaren van een tempelingang en hij voelde duidelijk zijn voeten, zijn kleine tenen, de hof om zijn navel, zijn tong. Hij zag de grote hand hals, nek en de grote borsten wrijven die krijtwit werden en glansden als werden zij verzilverd terwijl hij een kruintje kreeg, een onderlip, een neus, een zwellend geslacht en grote handen.

Ma in de heksenzalf... on her white breast a sparkling cross she wore, that Jews might kiss and infidels adore... Romantic poetry. Straks stortte hij krakend door de vloer, splinters in zijn haar, geschramde flanken, bloedend tussen de borden op tafel daar beneden. Wat zou dat kind zeggen? Ik heb geen eetlust? Hij zag zich gewond op tafel liggen, de kalk nog nabrokkelend op zijn hoofd, die het bloed dadelijk zou opzuigen.

Boven in het huis hoorde hij zacht, beverig gezang, stille nacht... stille nacht... traag en slijmerig.

'Heilige nacht,' vulde hij met snel prevelende lippen aan, starend en luisterend. Een tokkend gelach volgde, gestommel, redt het kind...

Hij fronste, hoeveel gasten schuilden hier nog in zijn hoofd?

Buiten werd gefloten.

Toen Ma wilde merken dat ze werd bekeken, gleed er een lachje over haar gezicht. 'Ach,' zei ze zacht, het klonk teder. Ze bewreef zich nu veel langzamer terwijl ze hem in de spiegel aanstaarde en al wrijvend nam ze hem in haar gedachten op. De tepels van haar borsten hadden grote donkere hoven, bijna zwart en meer dan rijksdaaldergroot. Buiten werd weer gefloten, zeer veraf nu. Het gefluit trok een dun wit streepje door de kamer. Misschien wist men daar alles en markeerde het verloop met noodsignalen.

'Ik ben de mand vergeten voor de oude man,' zei Vogelaar. Zijn stem klonk mat en vlak, het was de enige stem die mogelijk was en voorzichtig met de situatie omging. Hij zag Ma traag en berustend, een beetje theatraal bijna, een BH aandoen, wat voorover gebukt en even rillend met de rug.

'Ik heb jeuk,' zei ze, 'dat komt omdat ik marsepein heb gegeten, daar krijg ik altijd jeuk van. Toch kan ik er niet van afblijven.'

Vogelaar zweeg.

'Ik dacht, ik zet me even in de talk.'

Haar handen worstelden op haar rug met een haakje.

Jezus, Jezus, Jezus klonk het van boven, daarna een wat jankerig geluid als van een ziel in nood. Iemand stampte flink heen en weer. Een kerstspel? Al aan Herodes toe?

'Help mij eens met dat verdomde haakje.'

'Daar gaan we,' dacht Vogelaar die zonder moeite het haakje sloot, 'ik kan hier niets aan doen.'

Eigenlijk drukte ze hem niet aan haar borst, ze liet haar armen in een moedeloos gebaar op zijn schouders rusten. De zwaarte drukte hem naar haar toe, zijn wang tegen de harde kartonnen borsten. Zijn hoofd draaide zodat het ademen werd bemoeilijkt. Langs haar heen keek hij de kamer in: een open bonbondoos met rechtopstaand papieren randje als een wit kraagje zonder hoofd, een bijbel met zilveren slot, donker en gebogen aan de hoeken. Om alles hing de zoete verse geur van zeep. De hemel was donker en vol sneeuw.

Ging het wel goed met Ma? Op een tafeltje ontwaarde hij een aantal medicijnflesjes. Een zacht en intiem licht hing binnen de wanden en om die dingen. Hij voelde zich veranderen, zachter en vreugdevoller worden en zo ontspannen alsof band na band werd losgemaakt.

'Er komt talk aan mijn pak,' dacht hij, 'op mijn broek, mijn hemd, oneindig veel krijtwitte schilfertjes, hartvormig onder een microscoop. Hoe krijg ik dat er weer af.' Ma voelde koud aan, een stenen beeld gelijk, hij hoopte maar dat ze weer zou gaan bewegen. Hij snuffelde: tamarinde, laurier en rode eik. Van beneden klonk aarzelende, zoekende muziek, stap voor stap ging de nacht verder. Geluidloos wrong Ma zich uit de ring van haar onderrok als tilde zij zich uit de zachtroze gekrulde baren omhoog met twee vastbesloten en hoekig uitstaande duimen. Met haar grote mannelijke handen duwde ze de laatste windselen naar beneden, schoof zich veelbelovend uit haar foedraal, stroopte zich als een haas tot de tenen. Onafzienbare blote gebieden kwamen vrij en hij voelde zijn hoofd en borst zweven in het firmament, tussen de sterren en de ver zingende stemmen. Uit de lucht plukte ze een ragfijn gazen sjerpje en liet dat van de hand waaien die ze koket op schouderhoogte hield, de ronde armen van zilver. Vogelaar zag de indrukken die de kousebanden halverwege de dijbenen hadden achtergelaten, de overal iets te mollige rondingen, de contouren van streperig pastel. Grote goedige vrouw hem zo te belonen.

De meeste boeken die hij vroeger uit de leeszaal haalde en mee naar huis nam met schuldig omhoog getrokken schouders, Da Vinci maar vooral Rubens, waren in het onleesbare Frans of Italiaans. Sommige boeken hadden zelfs zachtroze drukletters alsof de zaken allemaal fluisterend werden verteld. Een ondoordringbare kwellende taalbrij, maar weinig door anderen opgevraagd gezien de schaarse stempels voorin op het schutblad. Maar zij bevatten de Venussen, de Afrodites, de nimfen, de vrouwen waar iets mee was en de maagden. Hij bladerde zich die onbegrijpelijke wereld binnen onder de tafel, op het pluchen kleed, achter de pluchen stoelen en achter de bank, en zo vaak werden de platen in de schemer bekeken, dat ze ten slotte door de schemer werden opgeroepen. Grote vrouwen, oermoeders in dat laatste licht voordat het duister van de hoeken begon. Door het blijkbaar onvermijdelijke bijbelse formaat van de boeken, maar vooral ook door de indringende geuren, hadden die vrouwen met de dood te maken, daar immers allen die op de bijbelse bladen naakt waren, werden gestenigd, gekloofd, gespietst, gekruisigd, of in barre oorden tot op het skelet verhongerden. Maar als naakten waren ze ook hecht verbonden met de overdadige klankrijkdom van het gewijde, de in kolkende en wapperende gewaden gehulde heilige figuren. Voor zijn ogen kleedde het heilige zich uit, vertoonde zich in alles wat de pastelzachte, hemelse gelaten al hadden doen vermoeden: navels als bloemkelken, welvende streelbuiken, wolkende, donszachte dijen, borsten als bleke manen en bovenaards ronde armen waar de warmte en het hemelse licht vanaf sloeg.

Maar het was een wereld die, als onder een groot gevaar, verstarde en verstilde: de gazen baniertjes, de golfjes, onmogelijke houdingen op maar een paar tenen of zwaarteloze koprollen tussen de wolken, alles bevroor en stolde in schrik. Hij voelde zich met schaamte bekeken, zijn schedeldak werd gelicht. Alles verstrakte en keek naar het punt waar hij met bolle, hongerige ogen, op zijn knieën in een wereld staarde waar hij niet mocht zijn. Het was een wereld van kachelwarmte, een zuigende halfslaap, van verdroomd staren in het bad naar het water dat zonnig klotste tussen zijn benen en waar de vreemde schaamharen golfden als zeewier.

Na een periode van onverschilligheid verschoof het ritueel. Op de tweedehands-boekenmarkt kocht hij boeken waaruit dezelfde geur opsteeg: natuurkunde en plantkunde. Totaal afgeleefde en uitgebleekte kaften waarbinnen de vergeelde, gladde bladen met bruine rand. Een tot op het bot verschraalde wereld van formules, voetnoten, ijl getekende instrumenten in kil winters licht en bloemen in doorsnee. Monotoon lispelende tekst omvatte de tekeningen van de meeldraden, de stampers en de knollen die tot in het hart met de pen waren opengemaakt. Het was even duister als het Italiaans, maar hij las en herlas de smalle kolommen met hun onbegrijpelijk staccato of de brede blokken die nergens houvast boden. Als verklaring gaf hij op dat hij een geleerde wilde worden en dat wilde hij ook, maar hij telde de minuten, voelde hoe de tijd hem samendrukte en vocht tegen het verlangen om er in één ruk mee op te houden; maar hoe langer hij volhield, des te schoner voelde hij zich. Vooral wanneer hij versteend en koud was, of honger had voelde hij zich zuiverder worden, in waarde toenemen en gelukkiger.

Zo betaalde hij met taken zijn dagen en leefde in een wereld die, als een verre troost, een merkwaardig voorlopig karakter aan ging nemen. Een wereld die hij minder kwetsbaar kon bekijken, die net in evenwicht werd gehouden door zijn oefeningen. Een tikje geel en verschoten misschien, maar waarin alles bewoog en met elkaar te maken had als op dorre bladen, en waarin hij zich op een bijna gelukkige manier verveelde.

Ma wilde alles wel doen en met grote toegevendheid nam ze standen in: in het Frans en in het roze Italiaans, met en zonder sjaaltje, rijzend uit de puntige zwarte schoenen als uit zwarte schelpen der zee en de kuise Suzanna spelend met een kuise fladderhand tussen de benen. Ze schokte van de ene stand in de andere en liet de wereld stuiptrekkend verder wentelen.

Toen Ma hem losliet zette hij zich werktuiglijk op het bed. Een onbegrijpelijk zacht bed was het, een wolk die maar niet op wilde houden met doorzakken. Hij zat ergens waar hij niet hoorde en daarom mocht hij veel verwachten. Ma vond het goed, ze was niet op hem afgesprongen met uit elkaar spattende ogen, Vogelaar... goor zwijn, ga heen... maar had hem ontvangen in haar verdriet waarin veel soorten ondergoed in grote maten. De tijd ging hier langzaam voelde hij, als een laag stroop vloeide ze in de ruimte terug, een dikke, amberkleurige, naar papier riekende stroop.

Tevreden zat hij op de rand van het bed, op de genopte sprei, en met een heilig diep doorgloeid gevoel in zijn billen. Kerstfeest, dat was het feest van de geboorte, de moederschoot. Een embryonale wereld, van de boreling die een bol en geweldig voorhoofd de wereld in liet groeien, diep verzonken in zichzelf. Het bed piepte even, Ma zette zich. Hij hing opeens een beetje uit zijn evenwicht, maar daarna zaten ze ook met z'n tweeën. Binnen warm, buiten koud.

Buiten in het blauwe ijs stond Ferwerda met een klein zwart lulletje van de kou. Alles onbelangrijk. Vergeleken met de beelden die hij hier in zijn hoofd droeg was de wereld daarbuiten grijs en somber als onder een zonne-eclips, when the light has vanished, and the shades of night steal o'er the ruins grey... Romantic poetry.

De salonklanken van beneden dwarrelden nog door de kamer. In de hoek achter de philodendron stegen de tonen omhoog, sprongen op elkaars rug, gleden van elkaar af. De verwarde muziek trok behaaglijk aan zijn gedachten. Ma at een bonbon, nu en dan smakte ze behaaglijk, maar haar gezicht werd er niet minder verdrietig om.

'Hier pak ook een blommige,' zei ze en hield hem de doos voor.

De bonbon had een zilverpapiertje met zwarte bloemetjes. Hij schoof hem voorzichtig in de mond en draaide het papiertje tot een stijf hard bolletje. Straks zou hij dat, wanneer Ma niet keek, de kamer in mikken.

'Puck is al zo lang dood,' zei Ma met zuiggeluiden, 'ik ben het vergeten hoe het voelt iemand in mijn armen te hebben. Soms vrees ik dat ik nooit een zoon heb gehad, alleen ernaar verlangd. Ik probeer het me dan goed te herinneren, ik zoek een aquarium op als vroeger en hou mijn adem in tot de vlekken en de vissen voor mijn ogen dansen. Je bent in mij verdronken jongen, denk ik dan, ik vergeet je niet, ik laat je niet in de steek. Vind je mij een dwaze oude vrouw?'

'Ik vind je niet dwaas, Ma,' antwoordde Vogelaar.

'Ik zette hem voor op mijn fiets,' zei Ma, 'ik fietste door de duinen. Als ik verdriet wil hebben fiets ik weer door de duinen. Wanneer we de heuvel afgingen werden zijn handjes wit om het stuur. Hij is dood, mijn jongen en ik heb hem lang zien sterven. Opeens wil zo'n kereltje niet meer voor op de fiets, of van school gehaald en dan dacht ik: "Hij is ziek, mijn vogeltje, het gaat slecht met hem." En het is ook een ziekte, een ziekte die leven heet. Weer even later wil ie ook niet meer geknuffeld worden. O, ik pakte hem soms beet, frummelde hem in elkaar en riep dan: "Moederdier besnuffelt haar jong... moederdier besnuffelt haar jong..." Het is als met een ziekte, je lijdt er onder en het gaat maar door: lange broek, harde knieën, adamsappel, brillantine, scheerzeep en ten slotte meiden. Dat is nog het ergste... dan wordt de geest ook nog aangetast... dat gekit en gekoer... Met mijn liefste glimlach heb ik ze gehaat, die sletten, die verstokte hoeren... Ik bracht ze thee met koekjes, er ging dan een hoeraatje op en ik dacht: "Word er kaal van kreng, stik erin, krijg er de cholera van..." maar dat was niet goed, ik heb er spijt van, ik ben ervoor gestraft. Die Magda is een lief kind, Puck zou ervan gehouden hebben.'

'Ze is ziek,' zei Vogelaar.

'O hij was zo proper op zichzelf.'

'Je verveelde je nooit bij hem, dat is zeker,' zei Vogelaar.

Ma zweeg en begon zacht te wiegen.

'Wie wás toch dat meisje dat overschaduwd werd door die wolk,' soesde Vogelaar hardop, 'het leek wel de lucht boven een fabrieksstad waar ze onder bezweek. Een deel van die wolk had de vorm van een hand. Ik zou het eens aan een fabrieksmeisje kunnen vragen.'

'Magda werkt in een atelier,' zei Ma, 'maar zij zal het niet weten, de ziel. Het is een lief kind, vroeger had ik ze genoeg over de vloer, Puck moest ze van zich afslaan als vliegen. Hier probeer deze eens, daar zit marsepein in, die lust ik niet meer. Maar ze is wat ziek, ze is hier om aan te sterken, de bleekscheet. Die dokters vandaag de dag, zijn nog niet veel wijzer geworden, al heb ik in het dorp hier een knulletje dat een schat van een mannetje is. Hij zit maar te knikken alsof ie alles begrijpt en hij bloost al als ik mijn pink laat zien. Maar hij is de enige die ik ken die nog eens zegt "ik weet het niet". Dan wrijf ik hem over zijn bol, "Joh," zeg ik dan, "doe niet zo rot, het is gewoon mijn gal, geef me nou maar een stroopje, geen pillen of zetpillen maar gewoon een stroopje." Een leuk knulletje, hij is erg lief voor me. Nee, om te zeggen "ik weet het niet" is blijkbaar te gek en te veel gevraagd voor de meesten. Dan is het 't bloed en al die dingen meer, maar in werkelijkheid zijn het donkere wezens die ons ziek maken, iets uit de grond; dampen, schaduwen. Geloof me, ze hebben heel wat mensen in gestichten gestopt die eigenlijk voor God moesten werken. Dat zijn mensen van God, die voelen het kwaad waar het zit. Zo zie ik dat. Ze is hier om aan te sterken, ze moet eens in beweging komen, uitwaaien in de boslucht.'

'Ik hou wel van fabrieksmeiden,' zei Vogelaar kauwend en pruimend, 'ze maken zich altijd zo moedig op en dan daalt al dat stof er overheen, dat geeft ze iets tragisch met die vuile vingers, afgebrokkelde rode nagels en doorgelopen ogen.'

'Heel zacht is ze,' ging Ma verder, 'Puck hield van

zachte meisjes. Kies jij je dochter maar voor me uit ma, zei hij altijd. Ze had vroeger een plaatje boven haar bed heeft ze me verteld: een meisje met een kapotte pop. Love is blind, stond er onder en dat vond ze allemaal heel akelig, want ze dacht dat Love een naam was en dat het kind op die plaat blind was. Zo iets is waard om weer beter te worden, zeg ik maar. Maar dat doktertje van me zegt dat er iets met haar bloed niet goed is.' Ze zweeg en knipte een paar maal nadenkend met de vingers, daarna schudde ze het hoofd en begon weer zachtjes te wiegen. Vogelaar leunde ver achterover en keek naar het grote gezicht boven hem, de rug van de neus stond op de bovenlip als de pijl op een boog. Hij legde zijn hoofd voorzichtig tegen haar arm. De zoldering schommelde zachtjes, green gravel, green gravel... the grass is so green... the fairest young lady, that ever was seen... Romantic poetry.

Ma wiegde en neuriede. Haar stem zweefde als sneeuwvlokken op hem neer. Haar ogen hadden een warme gloed die hem echter belette zijn benen en billen geheel te ontspannen. Het waren de ogen van een soldatenmoeder, donker en doorzichtig. Ze hadden ook iets oranjeachtigs als van ossen. Uit het hoofd van Ma keek Puck hem aan, die zat daar als een rat achter het behang en deed iets met haar ogen als hij haar aanraakte. Nooit zou hij haar helemaal kunnen vertrouwen. Hij luisterde naar het neuriën, die weeklacht die heen en weer golfde als alles op deze wereld: de adem door de neus, de eigen en de andere borst. Ma neuriede, neuriën maakt het kind ouder. Ze knikte en zong, kreunde en steunde. Een soort bidden was het, een bidden op heel lage trap. Nu en dan smakte ze even, verdriet en chocola, stem en adem werden een. Ze neuriede een Puckje de wieg in en de wieg weer uit, Puck, dravend met één been op de stoeprand, Puck met een kapotte step, een open knie, en zoals ze het nu zag, altijd en altijd op weg naar die zee... Ze neuriede hem de kleuterschool door met zijn kromme beentjes en vetricheltjes boven de knie, de lagere school binnen, de marine in, de onderzeeboot op... Hij voelde hoe haar handen nu begonnen te bewegen, hem streelden: zijn schouders, zijn borst en zelfs zijn wangen, wat een rasperig geluid maakte.

Waar zou ze nu zijn, of liever, wie zou hij nu zijn in haar schoot? Hij voelde zich terugzakken in de leegte, toegevend aan de verleiding oeverloos in steeds vreemder brokstukken uiteen te vallen. Traagheid en slaperigheid benevelden zijn geest, terwijl zijn zinnen zich verdiepten in het neuriën en de strelingen. Ma had mondhoeken die naar haar oren wezen en dat was mooi. Ze zong, lachte een beetje en had verdriet op haar gemakje. Ze maakte een zoon in haar schoot, een zoon werd hij, een Puckje. Een zoon zonder vader. Onbevlekt ontving ze en gewerd Vogelaar. Ferwerda en de veldwachter hadden een licht gezien in de duisternis en waren naderbij gestroomd met offergaven. Waaraan denkt een zoon die geboren wordt? Die denkt aan zijn moeder, die voelt zijn moeder, eet, drinkt, streelt zijn moeder. Hij grijpt en trappelt in zijn moeder, poept in zijn moeder van angst en vreugde. Hij ademt haar en geen vader te bekennen. Warm als een bed is de grote moeder en de grote vader is een holle stal.

Zijn gedachten dreven voorbij als de schaduwen van wolken over een lage wijde vlakte. Dat kwam door het neuriën. Ma, door Themistocles opgerakeld tussen de Perzerschutt, beroemd om haar rechte ribkarbonaden en haar archaïsche glimlach, bevrucht door eeuwen duisternis en alles wat daarin beeld, brok en gruis was, baarde hem. Het ging er maar om te weten wat ze baarde, wie hij was. Brandden de parabelen en de Aramese orakelen al op zijn lippen? knarsten de stenen van Judea al door zijn brein? had hij al pijnen in zijn handpalmen? hoorde hij niet het lawaai van de herberg, vol brakend gelach en brekend aardewerk? Werd hij hier niet uit de tijd zelf, uit dat grote neuriën geboren?

Buiten wachtte Ferwerda, een wit waasje vorst op de bovenlip. De dwarsgestreepte hield de handen kouwelijk onder de oksels, de schouders hoog opgetrokken. Niemand vroeg waar hij zo lang was geweest en de monden waren stijf en verongelijkt gesloten.

Bedrukt liep Vogelaar voor hem uit in het donker en luisterde naar de krakende voetstappen achter hem. Nu en dan blies de droge vorstwind door de takken boven zijn hoofd.

'De wind klaagt voor ons allemaal,' zei hij zich half omkerend, 'dat is de enige mooie zin uit dat toneelstuk van Heijermans, de enige zin die *bekt* als je het mij vraagt. Het stuk ben ik verder vergeten.'

Ze verlieten het bos en liepen op de rechte weg langs de witgeverfde tuinmuur. Enkele lantarens brandden, er was ook een groen houten poortje dat half open stond. 'Even sassen,' zei hij en ging door het poortje naar binnen. 'Altijd even een ruimte opzoeken waar geen mensen zijn,' dacht hij, 'een andere weg naar God is er niet.' Hij wriemelde met koude machteloze vingers aan zijn gulp en keek om zich heen naar de ernstige en droeve plechtstatigheid die bomen en heggen kunnen hebben in lantarenlicht.

Dichtbij stond een huis met een plat dak, ervoor was een wit terras. Op het terras waren een dozijn matrozen bezig, frisch ausgeackerte Knaben, die daar zongen en dansten.

'Tjonge,' dacht hij, 'kijk die kerels toch eens, dat is toch geweldig.'

De matrozen daalden van het terras en gingen op het gras zitten zoals kleine meisjes doen en begonnen elkaar over de Lieve Heer te vertellen. Hij sloop naderbij, maar hoe hij zich ook inspande, hij kon niets verstaan, hoewel hij de woorden toch duidelijk hoorde.

Weer buiten zag hij dat Ferwerda en de dwarsgestreepte verdwenen waren. Hij keek de straat af, er liepen nog wat wandelaars: twee officieren van Arthur Schnitzler, hoog boord, witte handschoenen. Ze waren in gezelschap van twee dames. Een van de dames interesseerde hem, ze was gekleed in een Engelse rok naar de laatste mode, maar van boven was ze naakt, dat wil zeggen, ze droeg slechts een sjaal om het bovenlichaam.

'Kijk,' dacht hij, 'dat is dus de laatste mode.'

Een van de officieren had een machtige schedel, als een machtig blok stond deze boven de ogen, naar achteren breed en overhangend als bij Richard Wagner. De man had bijzonder donkere ogen, de ogen van een hamster, een haas, en zij waren met liefdevolle blik op de rug van de half blote dame gericht.

'Ach, zit dat zo,' dacht hij spijtig, 'nou ja, waarom ook niet. Jong is hij niet, maar zulke rijpe mannen staan in voor een goed huiselijk geluk. Hopelijk gaat alles goed. Die andere officier heeft ook donkere ogen, misschien schrijft hij werken voor het oorlogsarchief.'

Toch schudde Vogelaar het hoofd als in milde afkeuring. Het duurde even, maar ten slotte dacht hij: 'jazeker, ik schud.' Hij opende de ogen en keek omhoog naar het gelaat van Ma, de ogen schitterden, de mond was bitter en krom als een Turks zwaard. In de slaap afgezakt tot navelhoogte, lag hij met zijn hoofd op de warme trom van haar buik.

'Ave stella maris,' mompelde hij slaperig en even later, nog steeds de straat afkijkend waar de officieren hadden gelopen: 'Waarom lach je Ma?'

Het schudden hield op. 'Je ziet er zo dom uit als je slaapt, je mond wordt klein en rond en je oren zijn met rood fluweel overtrokken.'

'Ik heb van hem gedroomd,' zei Vogelaar, 'een soort fluwelen visioen was het dat al bijna in het oneindige donker overging, maar toch moet dat allemaal al het ontwaken zijn geweest. Het gaat hem overigens goed, hij woont in een prachtig wit huis, of nee... dat is niet zo. In dat huis woonde God met de matrozen en Hij laat er de kolo dansen op het terras. Alles draait maar in het rond daar en als ze rusten dan gaan ze wéér in een kring zitten, hand in hand. Had Puck eigenlijk een groot achterhoofd Ma?'

'Ik vind jou maar een bedonderd kereltje,' zei Ma met geknepen stem, 'een draak, nou weet je het.'

'Ik had altijd een hard leven, heilig wezen,' antwoordde Vogelaar nederig, 'in ieder geval, daar door de eeuwigheid wandelen twee officieren. Voor hen uit loopt een blote vrouw, het moet er uit te houden zijn. Ja, ik had altijd een hard leven, hard maar leerzaam. Twee vrienden had ik, we waren drie flinke kerels zoals dat heet, en we hadden het eeuwige leven zo te zien. Maar twee moesten er dood en ik geloof omdat ze met mij bevriend waren. De een verdronk, de ander zat opeens helemaal onder de gezwellen, ook organen kunnen blijkbaar plotseling krankzinnig worden. Ik lijd aan ondertemperatuur, de kacheltjes in mijn wereld zijn gedoofd Ma en dat is goed, ik ga de grote lijn zien want herinneren is op jezelf neerzien als God zelf. Ik moet blijkbaar een kille wijze worden. Jij vond het leven een ziekte, maar ik zeg je, als je de tekenen verstaat kun je ervan genezen; mijn vrienden, mijn moeder die op kerstmis stierf, nee, één dag voor kerstmis – wie zal de hogere regie ontkennen –, het zijn allemaal leerzame voorvallen. Ik wandel veel, maar ik wandel niet graag, ik wandel om gewandeld te hebben. Zo lees ik om gelezen te hebben, rust om te kunnen werken, werk om te kunnen rusten en vaak denk ik dat ik alleen maar leef om geleefd te hebben, ontledigd te zijn en gezuiverd. Als de zon schijnt, wandel in de schaduw spreekt de Here. In mijn leven liggen veel doden, ik weet het, het is alsof ik ze zelf heb doodgemaakt. Landschappen heb ik zien verdorren onder mijn blik, waar ik van hield werd ziek en stierf, maar ik werd ook een lijkenminnaar. Ja, ik hou van de doden, die stijve bekken met die glimlach, ik hou van roerloze beelden en etalagepoppen die alles naast zich hebben neergelegd. Ze luisteren en glimlachen. Ik heb daar een zwak voor, een raar zwak. In mijn leven verscheen ik vaak voor het altaar van de tweedehands-boekenmarkt, altijd op zoek naar de genade Gods en het als een bliksem inslaande woord. Geuren wezen mij de weg en daar vond ik een keer een boek over gerechtelijke geneeskunde, een panopticum van het roerloze verwijt. Ik noemde dat mijn "doodplaten". Mensen in alle stadia van verrotting, gehangenen met een dun straaltje bloed uit de neus, het hoofd keurend schuin en luisterend. Reeksen mensen op houten tafels met af- en opengesneden keel, in elkaar geranselde schedels, gewurgden, waaronder de liefste smoeltjes, met het schuim uit de mond en neus, een klein jongetje, gestikt in een kist en tot het uiterste in elkaar gedraaid, het heelal op slot, dacht ik, alles donker en dan maar gillen om de moeder tot de adem op is. Een ander kereltje, gespietst op een ijzeren paal toen ie spelend uit het raam viel, van zijn dijbeen tot zijn schedel waar de punt bovenuit stak als bij de helm van een ulaan en hij staarde voor zich uit alsof hij jarig was. Er waren mensen uit zee, de ogen uitgekeken, opgepompt als ballonnen en met raadselachtige gezichten nog aan hun ontvleesde schedels. Dat was mijn brevier. Bij God... ik slurpte al die gezichten in mij op, ik boog mij er overheen tot op een paar centimeter afstand, murmelend als een Arabier. Ik warmde mij aan dat koude vuur, arme, arme sodemieters, erwten in mijn schoenen... tot de tranen me in de ogen stonden. Arme donders, wat een pijn, wat een ellende, wat een gestik en gewurg om eindelijk weg te komen.'

Ma glimlachte wonderlijk scheef. 'Bid jij wel eens?'

'Gesterkt door mijn brevier,' zei Vogelaar, 'ja, verwarmd van binnen, wandelde ik als een gesmoltene rond en aanzag de wereld, mijn wereld. Ik zag een visboer die zijn mes zette op de nek van een poon of een kabeljauw, weet ik veel. Het mes kerfde en de bek van dat beest sperde wijd open. Ik keek naar die rukkende en trekkende handen en dacht: "Jezus, houdt dat dan nooit op, dat gemartel." Verwarmd ja, geloof me Ma, het beste in de mens wil dood, het slechtste in hem wil leven. Plezier is schuld, God is geen schone zaak, verdomd niet. Het is een vuile bezigheid die weg naar God, een ploeter- en een strompeltocht. Ik weet het, het is in al mijn vezels neergelegd, God en ik, Ik en god, wij zijn naijverig op elkaar, de spelregels zijn hard en daarbuiten is geen beloning en ik wil er altijd om getroost worden. Wanneer ik dat bij elkaar veeg, wordt het maar één woord en dat is moeder... Streel mijn hoofd Ma, mijn lief oud zeilschip... toe, ik heb mijn moment van zwakte.'

Ma streelde zijn nek, zijn wang, maar haar handen waren er met de gedachten niet bij. 'Zo had Puck ook gepraat,' zuchtte ze, 'niets hield hij voor zijn moeder verborgen. Waarom heeft het toch zo moeten zijn. Jij mag niet oud worden Ma, zei hij altijd, beloof je me dat je niet oud zult worden. Nou ziet hij me steeds ouder worden, een oud karkas in een oud krakend hotel. We kraken om het hardst. Vind jij mij oud?'

'Er zijn geen lieve woorden voor moeders,' antwoordde Vogelaar, 'ik noemde mijn moeder altijd lieve drol.'

'Hield je van haar?'

'Dat kun je wel zeggen, maar als je er over nadenkt, dan kijk je in een zwart gat. Ik vraag me wel eens af of ik haar achterna gesprongen zou zijn als ze overboord was gevallen, in een stormzee of zo. Ik weet het niet. Met mijn moeder zou ik zeker gezonken zijn.'

'En van Puck?'

'Puck was een aimabele klootzak,' zei Vogelaar teder. 'Er zijn wel goede woorden voor vrienden.' Hij ging rechtop zitten. 'Dat ik me bij hem nooit verveelde, geeft hem recht op een stoel in de hemel, een mooi wit huis en een officierenpet.'

'Ma legde de handen in de schoot, ze leken zwaar en moe. Haar rug zakte langzaam krom, haar mond plotseling een streep.

'Praten kon hij niet,' ging Vogelaar verder, 'luisteren wel, begrijpen weinig.' Hij streelde haar warme rug die glad was met hier en daar een puistje. 'Maar als hij door het huis of door de kamer stommelde dan maakte hij alleen maar geruststellende geluiden. Hij had gespaard moeten blijven voor mij.'

'Jij hebt veel van je moeder,' zei Ma, 'heel veel: hetzelfde gezicht, dezelfde ogen.'

'Ze stierf met kerstmis,' trachtte Vogelaar haar te sussen. Hij vertrouwde die handen niet die langzaam en traag met elkaar begonnen te vechten in haar schoot. Hij voelde de zinnen tussen hen in hangen.

'Ze was altijd sterk opgemaakt,' zei Ma, 'veel te sterk, vooral de mond. Alles zat aan de buitenkant. Ik zei wel eens Rie... Rie...'

'Daar had ik vaak genoeg de pest over in,' zei Vogelaar haastig, '"Mens," zei ik dan, "mens, wieg toch niet zo met je gat."'

'Alles aan de buitenkant... waar jullie taartjes hadden, daar hadden wij een kaakje.'

Vogelaar snoof. 'Nou ja, snoep is geest, vraag het die Ferwerda.'

'Dat is een ouwe viezerik, maar je moeder was er niet vrij van. Je moet het me niet kwalijk nemen dat ik dat zo zeg, maar ze was er niet vrij van.'

'Jij snoept ook.'

'Maar ik maak me niet op en ik stapelde mijn huis niet zo vol meubelen van dooie mensen dat het licht er niet eens meer bij kon.'

'Jij vond het een rotmens, dat bedoel je zeker?'

Ma legde haar zware arm om zijn nek en trok zijn hoofd aan haar borst. Hij hoorde haar hart snel kloppen, boem tjuk... boem tjuk... Dit is de oertroost, dacht hij, zijn hoofd verder wroetend naar haar schoot. Voelhorens staken uit zijn schedel. Als kind had hij vroeger gebeden: 'Heer, als ik ooit in mijn leven wat kwaads zal zeggen over mijn moeder, ik zal het niet menen, ik zal het niet menen.'

Hij hoorde het schuiven en schuren van haar kleren. De warmte drong tot diep in zijn onderlichaam, zijn lid schoof in een gans, een merrie, een boomholte, een vrouw. Rotmens, zong het in zijn oren, rotmens. Een wiegelied waarin twee moeders wiegden om één schoot. In de blauwe schemer dreven zwarte vlekken en helgekleurde stukjes kruisiging.

Haastig daalde hij de trappen af en snoof de geur van het huis; het was de geur van een groot, tot stilstand komend huis waar de keuken al sliep en waar alles geregeld was van dag tot dag en van jaar tot jaar. Een geur die men niet lang verdraagt of men gaat liggen op de overloop, uitgehold door de erosie van het verdriet, overmand door moeheid, uitzichtloosheid, en barst in snikken uit naast de daar altijd aanwezige plant op het donkerbruine tafeltje die het bestaat de jaren te trotseren zonder water, licht en lucht.

Buiten was het donker en vreemd leeg. De lantaren wierp wat schemer. Hij liet de kou door zijn kleren dringen en ging daarna weer naar binnen. Daar vond hij Ferwerda als vanouds in dezelfde stoel, de dwarsgestreepte zat weer aan de radio maar er waren geen geluiden. Het zwangere vrouwtje zat naast Ferwerda, rechtop en lachte geluidloos nog wat na met een rijtje witte tanden.

'Zullen we nog?' vroeg Vogelaar in de duistere hoek van de zaal speurend.

Ferwerda tilde zijn glaasje tot voor het linker oog, het rechter hield hij slim geknepen. Achter het glaasje scheen zijn oog groot en verbaasd. 'En toen,' sprak hij lijzig, 'en toen drukte de dominee fijntjes lachend zijn sigarepeuk uit in het oog van zijn catechisante.'

'Hij verdomt het,' sprak de dwarsgestreepte, nog steeds aan de knoppen draaiend, 'hij verdomt het nu helemaal. Daarnet deed ie het nog even.'

Vogelaar ging zitten, hij was zijn stok vergeten boven bemerkte hij nu, de mand had hij trouwens ook niet.

Ferwerda schoof nog luier achterover in zijn stoel. 'Ik ben warm,' zei hij alsof dat iedere wandeling uitsloot, 'mijn hele huid is warm, mijn benen zwaar en ik heb een gevoel of ik langzaam wegzink. Straks sluit de warmte zich boven mij en iedereen roept: God zij geloofd en geprezen, Ferwerda is heen.' Hij wuifde wat neumen boven zijn buik en neuriede enkele trage Gregoriaanse golvingen.

'Ik ben ook moe,' zei Vogelaar, 'maar slaap heb ik niet, ik heb eigenlijk een hekel aan slaap, maar niet aan het in slaap vallen. Het net niet inslapen dat is een hemelse toestand. Ik ben helemaal een mens van de ondergang, ik hou van de ondergang, van de ouderdom, van de herfst, van de oorlog, de schemering. Met ontsteltenis zie ik altijd weer in de lente de eerste groene blaadjes, de wilde tuinhazelaar.' Hij wachtte even maar er klonk geen geluid. 'Maar het leven,' ging hij verder, 'heeft mij altijd veel goed gedaan, ik ben een welgedaan heer geworden.'

Niemand gaf antwoord, maar in de hoek van het meisje meende hij wat geritsel te horen.

'In de oorlog,' zei hij in het duister starend, 'had ik een onderwijzer in geschiedenis met een soort telescoophoofd. Door dat hoofd keek je in de tijd zelf, over een eindeloze vlakte van verhalen en verhaaltjes, alles steeds kleiner. Robespierre, zag ik, was kleiner dan

Hitler, Philips de Tweede nog kleiner, Karel de Grote een heel klein kereltje, niet veel groter dan een speelkaart en Christus kon in de palm van mijn hand. Als die man praatte dan keek ik naar zijn handen, grote handen waren het, vol groene en zwarte vlekken en schrammen want als ie even tijd had hakte hij bomen om voor zijn noodkacheltje. Door al die huishoudelijke zorgen waarvan die handen vertelden was het ook een wat vrouwelijke man. Dat is geest dacht ik toen, wanneer ik naar die fijn geaderde en betaste verhalen luisterde die hij om en om draaide. Ik keek naar die grove, harde vingertoppen met vuil in alle naden en barsten, en ik dacht: "Dat is pas geest", ik weet niet waarom. Hij praatte veel, zo maar in de ruimte, dat kon toen want de geschiedenis zorgde even voor zichzelf. Goden waren er vroeger overal, vertelden die handen, ze mengden zich overal in het dagelijkse leven, ze kroelden en buitelden in het water, in de lucht die werd ingeademd en in alles wat de dag maar wist op te brengen: een pot, een boom, een ster, loof, bron en steen. Alles sprak en was goddelijk. De mensen waren vaten stampvol eerbied en angst voor de geweldige machten die het heelal deden trillen. Zo wezen de handen eens naar wat oude mannen in een bos, heel ver achteraan zag ik ze. Enkele door takken, struiken en een beetje mist bijna aan het oog onttrokken figuren hurken daar. Het was koud, het is daar altijd koud, prehistorie is altijd koud. Er zijn wel veel goden, maar er is daar geen begrip, geen liefde, geen genegenheid, geen mond die warm is en al die dingen meer. Nee, het is daar koud en ze hurken er tegen elkaar zoals op de laatste bladzijden van de Zarathustra, omdat dat beetje warmte van dat andere lichaam toch behaaglijker is dan stenen, kleffe bosgrond of een snurkend beest. Ze zijn bang zonder het te weten, wie stilstond werd een boom, en onder de met mos begroeide schors van de huid dreef een vreemde donkere waakzaamheid, als men bewoog in het fladderend beestevel dan hurkte de angst in hen neer om op ieder moment uit elkaar te worden gescheurd. Tussen stilstand en beweging beginnen ze te wiegen, zoals ze dat veel later weer zullen doen in psychiatrische inrichtingen. Ze wiegen en wiegen, want wel volgt op de duisternis het licht en op de beenderkrakende kou de zonnewarmte en op de honger altijd wel het argeloos in de buurt rondgrazende beest, maar als ze er over zitten te dubben dan hebben ze eigenlijk altijd honger, is het altijd koud en is het altijd donker om hen heen. Dat is eentonig en ook daarom bewegen ze zich. Ze wiegen, schommelen en neuriën, dat wil zeggen ze doen de wind en de takken een beetje na en dan weer elkaar. In de ander wiegen ze zichzelf, in zichzelf wiegen ze de ander en ze herinneren zich als vanzelf wat ze zich maar kunnen herinneren: klappen, kreten, gillen, pijn, en dan slijpen ze punten aan takken en stenen, ook als vanzelf terwijl de zon ondergaat, rond en vol of onzichtbaar want er waren veel bomen in die tijd. En omdat ze zich al die zaken kunnen herinneren, wroeten ze in hun neus, krabben op hun hoofd, rillen van de kou, tasten verstrooid naar de jeukende plekken op de eigen huid of die van de ander, grijpen zo maar wat om zich heen of slijpen verder aan het puntje van de knuppel. Ze voelen, of liever ze zien dat een puntige knuppel veel dieper in een lichaam slaat dan een stompe en dát maakt pas goed warm, dát helpt tegen de nacht: het door de knieën gaande beest of de met bloed bespatte, rochelende stamgenoot die opeens van een weergaloze meegaandheid wordt na de dreun.

Wat een pracht, wat een klank zit er in zo'n goed geslepen punt. En ze slijpen en ze wiegen dat zelfs het hout er warm van wordt. Kan het slijpen het naderen van de nacht draaglijk maken, de nacht zelf doet ten slotte ook weer slijpen en zo wrijven ze op de donkerste nachten het hardst en met de meeste angst. En zie, het helpt, er vliegen wat vonkjes en daar brandt het. Voor hun verbaasde ogen kruipt er een vlammetje over de vloer, zachtjes krakend en knetterend als lag er een kindeke in het stro. Dat was nou het vuur, eerst was het er niet, opeens was het er wel, en helder als riep iemand plotseling een naam in de nacht. Het kwam uit het hout, dat had men gezien, alhoewel, misschien kwam het wel uit de hand of uit de hemel. Niemand voelde zich helemaal gerust. Men stak een blaadje in de mond en dacht ingespannen na over niets.

Een raar ding dat vuur, even flikkert het en dan is het weg in een nacht vol bibberende vlekken. Het werd een spel; ongeloof met veel borstkasgetrommel en een goed geheugen deed hen opnieuw wrijven, kreunen, schommelen en de vonk schoot opnieuw en weer brandde het. Vuur... een kleine verschrikking, draaiend, kronkelend en verlokkend als een dansend meisje. Sommige oudjes betreurden dit want ze voelden dat de goden een eindje terug schoven, een beetje vreemder werden. Ze voelden even iets van eenzaamheid, een onopvulbare leegte, maar die was in ieder geval warm te maken...

In het vuur waren kleine gezichtjes, klakkerend, kirrend en werkend met zwaaiende armpjes, ja zelfs voor de oudjes die er hun bevende, niet meer te buigen en altijd waarschuwende wijsvinger in staken. Een onberekenbaar ding zo'n vlam, altijd waakzaam en ze kon bijten als een fret, in jong en oud, in man en vrouw. Ze at bladeren en takken en sproeide als dat zo uitkwam de vonken in de wind en in het gezicht. 's Nachts spreidde ze als een moeder een kring van veiligheid, maar aan de rand blonken de ogen van de dieren zoals in henzelf de angst glom. Het vuur kon warmte schenken en koesteren alsof men zat te suffen in de middagzon, maar ze eiste voortdurend aandacht; ze soesde de oudjes die haar moesten verzorgen en die wisten te vertellen dat het vuur prachtig zong, in slaap en stierf. Uit wraak stierf ze of uit gebrek aan liefde, dat was niet makkelijk uit te maken. Men jammerde, sloeg de oude sufkop de hersens in zodat de klontjes aan de takken hingen, knielde berouwvol, zuchtte, sloeg zich op de heupen en krabde zich het vel van de borst. In iedere ademstoot legde men de angst voor de nacht, de kou, de wilde beesten en het wonder geschiedde. Het geritsel werd weer gehoord, het gesis, gesabbel en geknetter; een dennenaaldje kromde zich, de geur van hars verspreidde zich en uit de aarde steeg het weer omhoog, eerst klein, daarna onder de uiterste zorg weer als vanouds en scheen rood en tevreden in de holle hersenpan van de oude boosdoener die zich door haar kunsten had laten verleiden.

Volledige vergeving echter schonk ze nooit, ze wrokte nog na zeiden de ouden die op eigen houtje tegen de warme slaap vochten. Alleen gezeten bij het vuur knepen ze in hun geslonken dijbenen, rukten zich aan de haren om wakker te blijven of drukten hard op de oogbollen die brandden en traanden.

Men wist nooit precies wat ze wilde, natuurmachten hebben nu eenmaal vele kanten, dat voelde men goed aan. Wel schoof men nu en dan nog eens een lastig oudje in het vuur in de hoop het gunstig te stemmen door zijn geschreeuw, maar het bleef oppassen. Dat bleek in de verschrikkelijke brand van helemaal links onder in het achterhoofd; een verschrikkelijke winderige dag waarin de wolken als rotseilanden door het luchtruim stoven. Van horizon tot horizon stond er opeens een woud van brullende vlammen, een bulderende wereld waarin allen ten onder gingen, kronkelend, draaiend en gillend als de vlammen zelf, voor men zwart en stroperig neerviel. Enkelen ontkwamen, ze dwaalden later verbijsterd en met grote ogen over een vlakte vol schietende slangen vuur, knipperende ogen en klappende, smeulende monden, en werden van angstige huppelaars begeesterde zieners. Nog lange tijd daarna wierpen de vrouwen kinderen die gevlekt waren met beren, hazen en paarden, en er waren ook lieden uit de brand die langzaam verlittekenden, een hele trage grimas om zo te zeggen, tot hun kop er uitzag als een ooglidloze pompoen.

Men wist, de zon had zich op de aarde gestort. Waarom? Men sidderde als hij rood werd en de aarde naderde, murmelde, pruttelde, zong en smeekte met een hoofd vol geblakerden, zuchtte en steende net zo lang tot hij lankmoedig achter hun rug weer verrees: groot, glimlachend en mild. Het waren de hôhezîten van het vuur. Vuur: flakkerend vormsel van de vrees, of veiligheid en warmte? Huiselijke gloed, of schuld om een leeggebrand stuk hemel, aan de rand vol mokkende goden? Ging de zon onder blozend van tevredenheid of rood van gramschap? Een verscheurd geslacht hurkte om het kampvuur, en de lofgezangen die opstegen, bibberend als de vlammen zelf, waren vol ondoordringbaar heimwee. Weinig van al dat kippevel zit nog maar in het kerstfeest verstopt, het is een bidprentje in een bos geworden.'

''t Is jammer dat Ma het niet heeft gehoord,' zei Ferwerda, 'het is een mooi verhaal al is het verhaal van die demon, die op een bos blies, zodat alle stammen tegen elkaar knarsten en vonken sloegen, mij liever. Toen jullie boven waren en het maar duurde, heb ik hier wat zitten soezen. Ik heb blijkbaar de tijd, zo dacht ik, dus ik drink een slokje, steek een sigaar op en kijk naar mijn ademende buik. Al die warmte doet goed, en dan nog wat snoep bij de hand, dat schept vrede in het hoofd. Ach ja, een stoel onder je achterste, een vriendelijk gezicht tegenover je, een glas en eten in het verschiet, meer heeft een mens toch niet nodig, dacht ik, en een nieuw evangelie kreeg vorm in mijn hoofd. Het evangelie van de vrede, van de ondergaande held: Sint Joris eens flink door de draak bij de heupen gegrepen en het heilig brein tegen een boomstronk gedoofd, de boot nu maar eens vermorzeld tussen de rotsen, de gespierde held voor eens en voor altijd opgeslokt, Christus op de loop in Gethsemane. Een zeer troostrijk evangelie, vol van hope dat het eens rustig en stil zal zijn daar boven en hier van binnen. Rustig en stil, daar zit iets in van het in de vlammen staren. Ik bekommer me nu maar niet om tegenspraken want dan kom je helemaal nergens. Er zit iets in van het langzaam achterover vallen, van rust en slaap, stilstand en van een veilige, beschuttende dood.'

'Ja, ja,' zei Vogelaar. Hij zag het dikke Ferwerdabuikje en de groezelige vlekken bij de gulp.

Ferwerda bestudeerde met teder manuaal zijn sigaar. 'Kijk niet te veel op mij neer, er is heus nog ruimte genoeg in en om mijn hoofd. Neem nu deze sigaar bij voorbeeld, dikke man rookt sigaar, baby sabbelt speen... oud beeld, maar ik zeg u, ik ken dit stukje tabak, ik bestudeerde het gelijk Philips de Tweede aan het eind van zijn leven het lichaam van Jezus Chistus. Leven reddend in de ochtend smaakt hij zwart en naar de nieuwe aarde, in de middag keur ik hem grijs en licht, in de avond blauw. Alles overigens vol grilligheid, want soms proeft hij 's avonds naar de uchtend en omgekeerd. Men verveelt zich nooit in de wereld der zinnen. Wanneer het sneeuwt en vriest smaakt hij als een oude ets, als een boerenhoeve vol eiken balken en ergens spek in de pan. Als het regent smaakt hij naar droge kleren en moederlijke zorg. Op hete zomerdagen wanneer de smaak van moedermelk op de tong is, is hij bitter, schoonmakend, kruidig en balsemend. In de lauwe zomeravonden wordt hij als een klein reukoffer tussen de vingers, geuren opzendend en kringelend tussen de sterren en aldaar vertellend van een vijftal zintuigen en de vrede er tussen. En nu heb ik het nog niet gehad over de verschillen bij heidegrond, loof en dennenwoud, thuis of op reis om nog maar helemaal te zwijgen van de verrukkingen aan zee. Een sigaar, jonge vriend, verbindt mij met het heelal, de seizoenen, de dingen, met koffie, fruit, cognac, chocolade en met het meubilair binnen in mijn hoofd, want hij is vele goede gedachten lang. Jij rookt geen sigaren?'

'Nee,' zei Vogelaar.

'Dat brengt een kloof tussen ons. Geloof me, er is veel gestameld over het gestamel van de mysticus, maar God en de sigaar zijn hierin één dat ze niet zijn uit te leggen aan iemand die ze niet rookt.'

'De hele wereld zou één grote kerstboom moeten zijn,' zei Vogelaar, 'vol bolletjes, een droge houten stam door alles heen, heel diep aan de voet de cadeautjes, om ons heen warmte en gezang. De engelen zijn van papier en alles draait heel langzaam zodat alles tinkelt en niemand zich alleen hoeft te voelen. Alles lekker samenhangen: aarde, God, hemel, man.'

'We moeten nog naar de oude bol,' zei Ferwerda zuchtend, 'aan het einde van die tak daar buiten. Ma maakt intussen het eten klaar, ik ruik het al, ze zal nu in de keuken zijn. Die gedachte zal ons sterken.'

'Wat zullen we nog meenemen?' vroeg Vogelaar lusteloos.

'Wij vullen het korfje met trollenvoer,' zei Ferwerda opeens opgewekt, met witte hete brij. De man behoort geen tanden meer te hebben. Een drupje cognac dus, wat sigaren, waaronder één hele goede, wat koffie om de smaak van de sigaren wat op te voeren, een hompje zoete kaas dat smelt in de oude mond. Van al onze overvloed wat, maar van alles te weinig, dat zal onze kostbare saus zijn straks bij het diner.'

Vogelaar stond op, hij miste zijn stok. De Feniciër staarde verbijsterd en nog steeds werktuiglijk knoppen draaiend in de stilte van het heelal. Het meisje sliep hoogstwaarschijnlijk, rustig opgebaard tot zij weer nodig zou zijn. Het hoofd recht nu, de rest geblokt en smal uitlopend in het duister. Vrede.

In de gang trok hij zijn jas aan die koud aanvoelde en daardoor vreemd. In de keuken stond Ma, een pan pruttelde met klepperend deksel. Het mandje stond klaar, afgedekt met een propere theedoek, wat hem vertederde. 'Dank je wel Ma,' zei hij, 'lieve Ma.' Buiten klonk een schot, het rolde als een bal over de zwarte horizon. 'Over een uur eten we,' zei ze. De haas was niet meer te zien, het aanrecht stond nu vol vaatwerk. 'Ik word steeds moeder,' dacht Vogelaar, 'of is het moeier?' Hij voelde bezorgd naar zijn hart dat sneller klopte dan gewoonlijk.

'Donker is het wel,' zei Ferwerda die gehuld bleek in een lange zwarte jas die hem omhulde gelijk de soutane een priester. Hij was er bijna onzichtbaar door, een blokje duister dat zich losmaakte. 'Donker als na de slag bij Plataeae, en koud ook, voor mij zit de lucht vol kleumige engelen, amice.'

Vogelaar keek omhoog naar de sterren in de hoop dat ze helder zouden zijn. Ondanks de schoten in de verte was er maar weinig ruimte om hem heen, de sterren leken van geplakt papier, de bomen van zwart karton. Hij snoof diep: ook geen bosgeuren. 'Misschien gaat het nog wel sneeuwen,' zei hij, 'ik heb er hoofdpijn genoeg voor.'

Ferwerda knipte een lampje aan en begon te lopen; takken, stronken schoven voorbij met, zoals dat hoort, ogen, neuzen en monden. Dat was te verwachten geweest, een lampje, een bospad. Straks zou Ferwerda stilstaan, zeggen 'hier is het' en op de deur kloppen; grijze magere vrouw, wantrouwende blik, mandje, blijdschap, dankbaarheid. Alles ging zoals het ging en dat was een huiselijk gevoel bij al die kou.

'Weet je waar het is?' vroeg hij in het donker.

'Bij Tobias,' klonk het. Gebarsten nachtelijke stemmen, en even later botste hij tegen de donkere rug van Ferwerda.

'Hier is het.'

Vogelaar stak zijn hand uit, maar Ferwerda tikte al met de knokkels op het hout van de deur. Hij hoorde het zich later al vertellen: een huisje diep in een donker bos, God mag weten waar precies. We kloppen aan... een oude vrouw doet open...

In de deuropening stond een oude vrouw, zwart en smal tegen het licht, beweeglijk hoofd dat, speurend in alle richtingen, nu en dan een scherp gesneden profiel liet zien. De heks van de Brocken... haar man zou een kussen hebben met veren in een kransje... Ze had een kleine gladde mond, een beetje een glanzende mond, zag hij nu, een kleine ingenaaide opening zoals bij door brand verlittekende gezichten. Wat nu in godsnaam te zeggen? Goede vrouw, wij zijn naar u toegekomen om uw feest... op deze heilige avond voelden wij ons gedrongen eens te zien of... Ze verspreidde overigens een geur als de sterfelijkheid zelf, kruidnagelig, muf en sterk neusprikkelend.

'De complimenten van mevrouw Schröder,' zei Ferwerda. Bevroren adem spoot uit zijn mond, natuurlijk, dat was het, alles heel eenvoudig.

Het vertrek was vochtig en warm, dampig. Overal op de vloer, in het wat grijzige licht, lag stro dat een wat zoete, rottende geur verspreidde van nat gras, paardemest en bruine oude verf. Op de kachel stond een grote dampende teil. Bij vleugjes rook hij de sterke geur van verbrande turf. Aan een lijn die door de kamer was gespannen hingen stukken wasgoed: een dik blauw gestreept hemd, een lange onderbroek, grauw als krantepapier en met dikke zwarte gulpknopen. Hij keek naar het zwarte vierkantje van het venster waardoor hij nog kort tevoren naar binnen had gekeken, en naar voren stappend, even knikkend voor het wasgoed, zag hij zich in het raampje weerspiegeld, kleine ikoon in een hut, en hij voelde een vreemd heimwee hangen om het vensterraampje, een verlangen om deuren te openen, vensters open te schuiven, trappen te beklimmen.

'Wie kijkt daar?' dacht hij, achter zijn spiegelbeeld speurend naar de contouren van een mogelijke veldwachter, en tegen de vrouw, met de hand vaag naar het mandje wijzend dat hij op de strijkplank had gezet: 'Er zitten ook eieren in en nog andere versterkende middelen. Hoe is het nu met uw man?' De vrouw grabbelde met prevelende lippen in het mandje; één hand, waaraan de vingers als vreemde vormsels, vergeten in de lucht, de andere graaiend door alle komende dagen die nu met voedsel konden worden bestreden.

'Ook boter,' voegde hij eraan toe, wetend dat hij loog, daar kon ze dan lang naar zoeken, maar hij had gevoeld dat toch te moeten zeggen.

De oude uitgeteerde man op het bed in de hoek was, voor zover hij te zien was, bestreken met een zwarte zalf die hem het uiterlijk gaf van een nog niet gebakken kleibeeld. Ferwerda was er opgewekt naast gaan zitten, op en top een ziekentrooster en streek zich, op zoek naar passende woorden, over het stoppelige, witbewaasde gelaat.

'Nee, maar dát is een ellende,' vond hij ten slotte, en zachtjes wiegend zodat zijn grijze achterhoofd steeds even een mouw raakte van het wasgoed achter hem, 'ik zeg altijd maar, van mijn huid daar moeten ze afblijven, daar zit ik zelf in.'

'Je hebt het niet voor het zeggen,' zei de vrouw een potje opendraaiend en begerig ruikend.

'Zuivere en harde natuurhoning, goed voor de borst,' zei Vogelaar. Het was een gebruikt potje en hij hoopte maar dat er geen boterspetjes in zouden zitten en het hart eruit gegeten zou zijn.

'Nee maar,' schudde Ferwerda, 'nee maar,' en zich vooroverbuigend, opgewekt als een zwarte magiër die zich verheugt over het verval: 'Hoe is dat nu zo gekomen mijn beste man? Dat interresseert me nu toch werkelijk, want u, ik hoop maar dat u mij mijn vrijheid niet kwalijk neemt, u doet mij denken aan iets ouds en dierbaars, u lijkt op mijn vader zaliger al had die ook nooit last van zijn huid. Hij had zelfs een huid tot het einde toe zo gaaf als spiegelglad schrijfpapier en ik mag wel zeggen zo zag hij er van binnen ook uit. Een oprecht gelovig mens was hij, een door het geloof van minuut tot minuut gedragene als geen die ik ken.' Hij raakte even met een kieskeurige wijsvinger het bezoedelde laken aan en besnuffelde het topje.

'Als ik vragen mag, draagt u een pyjama?'

'Hij is naakt,' zei de vrouw die nog steeds in het mandje rommelde alsof ze iets bijzonders zocht, 'hij is naakt als een baby, en dat is ie.'

Ferwerda schudde meewarig het hoofd. 'En ziet hij er dan helemaal zo uit... van voetzool tot aangezicht?'

'Waarachtig wel,' kraste de oude vrouw met droge stem, alsof hij bang was dat dit nog kon worden ontkend.

Oud was de stem en hoog als van een vogel. Hij zag de mond ver naar binnen plooien tot een geweldige vouw onder de neus, daarna blies de oude verachtelijk weer uit zodat de roze droge tong even te zien kwam.

Gevaarlijk, dacht Vogelaar, dat geblaas bij oude lieden. Indien de ziel moede was en alreeds een weinig bereid, dan kon ze zo het dal in vliegen en dan was het uit met de pret. Voorzichtig en behoedzaam ademen dat was het beste, dat droogde ook minder uit want de oude maakte op hem, ook al door de stem, een zeer droge, ja, wat papierachtige indruk.

'En jeukt het ook?' informeerde Ferwerda met belangstelling en aandacht wat plooien van het laken volgend met een vinger.

De oude knikte heftig met even een mondje of hij wat zuurs proefde en pinkte een traan weg. ''s Avonds als de koorts opkomt is het 't ergste.' Hij slikte moeilijk. 'Dan krabben mijn vrouw en ik samen, zij links, ik rechts, ieder met een mes en wat we er naar boven toe afkrabben...'

'Smeren we er naar onder toe weer op,' vulde de vrouw aan met iets van triomf, als betrof het hier een handigheidje dat zij had bedacht, 'maar dankbaarheid ho maar...'

'In de teil moet ie,' dacht Vogelaar, 'als Marat het water in, het dampende water, als Marat.'

'De nachten goede heer, zijn de ergste,' weende de oude nu. Er rolden wat tranen over zijn ingevallen wangen, rond en snel als gleden zij over een ingevet papiertje, 'soms denk ik, was ik maar...'

'Eh, èh,' zei Ferwerda en hij liet een bestraffende wijsvinger wankelen in de lucht, 'wat moet ik daar horen... maar dáár zijn we hier niet voor gekomen... wat is dát nu... een beetje flink zijn mag ook wel eens helpen... kom, kom...'

Vogelaar hoorde aan de stem dat hij een beetje teut was. Die dronk op een lege maag, de lepel stroop niet meegerekend, had hem geen goed gedaan, de kleine boswandeling daarna blijkbaar ook niet. De oude klei-man kon het nog wel eens moeilijk krijgen.

'En waarom zijn de nachten dan het ergste?' dreinde Ferwerda.

'Ja, waarom...' riep het oude afgodsbeeld klaaglijk, 'waarom... Er is geen mens te zien, daarom... Ik heb een gevoel of ik door de aarde zak, door de aarde kruip. Alles is nat en donker, alles jeukt ook, daar komt dat door want ik voel me helemaal bedekt met wurmen en insekten. Ik roep naar mijn vrouw, maar die verdomt het om te komen. Nog gisteren zei ze, zo uit de slaap: "Zegen God en sterf..." en dat zei ze. Nou vraag ik u goede heer, ik, die iedere dag en nacht wel duizend doden sterf. Iedere avond moet ik tussen de wurmen, onder groen uitgeslagen stenen zuilen door, onder wortels. En als ik even indoezel dan ga ik helemáál de afgrond des verderfs in waar allerlei schimmen zich wringen en wentelen en waar men zich niet bedekken kan.' *Hell is naked before him and destruction has no covering...* 'O Godje toch, waar ik niet allemaal door-heen moet tot aan de oogleden van de dageraad.'

'De natuur is mooi en God is groot,' stelde Ferwerda vast, 'als Hij de zon gebiedt, gaat hij niet op. Overigens, iedere goed doorgewrochte en uitgewerkte klacht heeft iets van een zonsondergang.'

'Amen,' zei de oude vroom en met een snel getuit mondje.

Vogelaar liep naar de andere kant van het bed; ritselend door het stro en de oude nieuwsgierig bekijkend zag hij in het verglijdende perspectief de vroomheid snel aangevreten door enkele trekjes verongelijktheid, giftigheid en zelfbeklag.

''s Ochtends zit ie op de rand van zijn bed,' zei de vrouw met beide handen beschermend op het mandhengseltje, wat Vogelaar weer met heimwee aan zijn stok deed denken, 'dat ziet er dan uit als een mesthoop, en dan stampvoet ie omdat ie nog leeft en dan wordt ie weer razend omdat hij dat stampen weer niet voelt met zijn dooie voeten.'

'God kan me gestolen worden,' piepte de oude, zijn mond flakkerend als een tentzeil in de wind, 'soms schud ik mijn vuist en roep: "Treiteraar... Lelijke Gore..."'

'Ja dat doet ie,' zei de vrouw met een misprijzend gespitst mondje, "t is Godgeklaagd.'

'Nee, dít is godgeklaagd,' riep de oude hyperboreeër, hij rukte het bevlekte bruine laken van zich af en vertoonde zich in al zijn groezele en schamele naaktheid: teenwrijvend, trappelend van kwaadheid en met een verrassend groot aardkleurig genitaal, omkruifd met door teerzalf oranjekleurig schaamhaar.

...sore boils from the sole of his foot to the crown of his head...

'Werkelijk,' mompelde Vogelaar, wat achteruit deinzend, 'een walg voor de ogen, en dat is dan nog maar de buitenkant. Ik moet zeggen mijn gedachten glijden af naar de zuiverende schoot van Ma, haar schone en zilver-witte huid. Ze kunnen niet zeggen dat ik niet leef bij en uit het hart, maar waarachtig dit is een onsmakelijk gezicht. Die man zou toch eens gewassen moeten worden, alhoewel het is eigenlijk geen vuil maar een sterk riekende zalf, een teerzalf, ik heb daarvan gehoord, merkwaardige oude geur van ongewassen linnen en tweedehands boeken.'

Hij staarde naar de ademende buik, het vel zwart en glanzend over de knoken getrokken in holten en punten. De oude had ook rimpelige, slappe borstjes merkte hij nu.

'Waarom is er geen schaamte in deze zieke,' vroeg Ferwerda die peinzend over zijn witte kuif streek, 'dat riekt naar hoogmoed.'

De oude gluurde nu giftig uit de ooghoeken. 'Niet te verslaan, niet tot zwijgen te brengen,' kraste hij.

Vogelaar keek van het grote paardegenitaal naar de vrouw waar de vruchtbaarheid der aarde moest zijn vermeerderd.

'O, die nachten bedoelt u zeker,' informeerde Ferwerda, 'maar uit de slapeloze nacht is toch alles ontstaan. De zon gaat op, de zon gaat onder, ik geef u nu maar even een oud en versleten beeld, maar daar tussen liggen de grote werken, de grote tochten over zee en door de tijd, over de huid, door het eigen lichaam. Men bestijgt torens, daalt af in kelders en zo maar door tot de rozevingerige dageraad. Eens zat ik op een bankje in een bos wat te rusten en er passeerden mij een man en een kind. Ze waren in gesprek. De man zeide, in antwoord op een vraag die ik niet vernomen had: "zeker, jij groeit óók 's nachts," maar ik zeg u, men groeit alléén 's nachts. Nog zie ik de man helder voor mij op het bospad, overal is Gods nachtelijke stem voor wie weet te luisteren. Wat zijn nu verder uw dromen en gezichten?'

...upon my bed thou scarest me and affrightest me with visions...

'Gewillige kleine meisjes,' kraaide de oude, 'kleine,

koude, paarsblauwe vingertjes, paarsblauwe handjes met ronde zachte vingeren, bleekblote vrouwen op schavotten, verkrachte nonnen met sereen gevouwen handen, spiernaakte heiligen met sneetjes in hun buik, anatomieplaten, velden vol menselijke openingen, hele moerassen vol waar het puft, borrelt, blubbert, knettert of waar iets geluidloos uit opwelt. Overvette vrouwen met zelfs geen ring meer aan en diep ingesneden groeven in het vlees van de bandjes en strikjes. Zwangeren tussen soldaten en met veel rokend puin op de achtergrond. U moet begrijpen, ik zag veel... veel beklijft, dat is onvermijdelijk.'

'Ah...' zei Vogelaar, 'een vleugje Ezechiël.'

'Kruisigingen ook?' vroeg hij voorzichtig.

'Ook, ook!' juichte de oude.

'Ja,' zong de heer Ferwerda bemoedigend.

'De kruisafneming van Petrus Paulus Rubens,' begon de oude met dwalende ogen.

'1578 tot 1640,' zei Vogelaar tegen de vrouw die met open mond stond te luisteren en doelloos wat wasgoed wrong tussen de benige vogelpoten.

De oude kleiboer had zich half opgericht, zijn gelaat smartelijk verwrongen, rukjes schoven over zijn huid, het grote paardegenitaal vertoonde nu en dan een stuiptrekkinkje.

'Een rolronde, atletische waterval heren, wolkenvelden vol dood koud vlees in een scherp onweerslicht. Een darmomwoelend tumult dat uitmondt te midden van drie weelderige, met olijven en ramsvet overvoerde vrouwen en een goochelaar in een prachtige rode mantel. Ohh... allemaal gespierde mannen boven, allemaal weelderige vrouwen onder, stukje ladder, koperen schaal en wat gebruikelijke groene luchten.'

'Zegen God en sterf,' zei de vrouw met geknepen lippen, ze had nu dezelfde mond als de man op het bed.

'U hoort het edele heren,' riep de bejaarde met uitgestrekte arm, 'u hoort het nu zelf...'

'Zegenen wil ook wel eens zeggen afscheid nemen,' zei Vogelaar dromerig, 'maar sterven doet ie, hij biecht, hij purgeert, laxeert, rochelt, boert... Hij maakt zich schoon, wat is dit sterven anders?'

'God moge hem straffen,' riep de vrouw koppig, 'moge hem eeuwig nakend door de hel donderen, wat een verdriet had ik toch van deze lastige oude.'

'Maar in zijn jonge jaren,' sprak de heer Ferwerda belerend, 'rolde hij toen niet door de dauw? Sloeg hij zich niet met roeden en berketakken? Of sprong lichtvoetig door het vuur? Het ene is er niet zonder het andere, in deze mens wordt nu eenmaal veel poëzie door proza omrankt.'

'Gestraft zal hij worden,' hield de vrouw koppig vol.

'Toe maar, toe maar,' zei de heer Ferwerda de vrouw prijzend toeknikkend, 'Gij begrijpt de wrekende God der liefde over allen.'

De oude lag nu met beide handen gevouwen op de borstkas waar het hart zichtbaar klopte onder zijn vingers. Zijn ogen rolden wild heen en weer met veel wit. 'Ach goede heer, ik hoorde wat u tegen mijn vrouw zeide. Is het waar dat ik sterven moet?'

'Zeker,' zei de heer Ferwerda vriendelijk voorover buigend, 'gij sterft. Wanneer ge goed luistert naar uzelve, dan hoort ge bezoeker na bezoeker uw huis verlaten. Het rumoer op straat neemt af...'

...When the Almighty was yet with me. When my children were about me...

'Maar mijn hoofd barst,' weende de oude zijn hoofd betastend, 'daar is helemaal geen stilte, daar is het goddome féést. Ik zie mijn kinderen zoals ik ze nog nooit zag, zelfs de gestorvene, o wee... Ik hoor ze weer zingen zoals toen. Moedertje zongen ze, niet mooi, schel zelfs en hard, maar het waren mijn kinderen, het zijn nog mijn kinderen.' Hij strekte de magere handen uit als een pianist, de ogen geloken en de handen grepen in de lucht. 'Moedertje,' zong hij met bevende en gebarsten stem, 'gordt mij mijn gordeltje om, opdat ik spele met de anderen.' Hij opende de ogen weer die troebel naar een ver gelegen punt in zijn hoofd staarden en zei: 'Hoog op de gele wagen zongen ze ook en van je, ra, ra, wie heeft die bal. Een mooi zonnig lied vol jeugdleiders en witgebloesde kindertjes. Ik was een aanvaard en gewaardeerd man, edele heer, geëerd zelfs. Wanneer ik in de poort verscheen gingen zelfs grijsaards eerbiedig staan. Een machtig man was ik, een herdersvorst gelijk. Ik kon, als ik dat wilde, de Here vragen om mooi weer.'

'Hij ijlt levend,' zei de vrouw.

'Toch sterft ge,' zei Ferwerda.

'O ja?' jammerde de oude kleipop, 'kan ik nu heus nog niet een beetje...? Als ik nu eens heel gezond ging leven: vroeg naar bed, niet drinken, wat gymnastiek, een noot en een vrucht op zijn tijd, wat ontbijtkoek en ouwemannetjesdrop voor de poeperij...'

'Het zal niet gaan,' sprak Ferwerda hoofdschuddend, 'ge zijt een oud wrak.'

'Maar ik vergaarde toch veel wijsheid in al mijn jaren,' bezwoer de oude met veel trillers in zijn stem, 'ik zou de jeugd een voorbeeld kunnen zijn, een vraagbaak. De blinden zou ik tot oog kunnen zijn, de kreupelen tot voet...'

'Ik ken wezenloze wauwelaars die er uitzagen als de God uit de kinderbijbel en bleekscheten en puisterige pubers die wijze dichters waren, zangers van verheven liederen, troosters, zieners. De vraag is dus gerechtvaardigd: "Acht gij uzelf wijs?"'

'Beproef mij, beproef mij dan...'

'Goed, goed,' zei Ferwerda berustend, 'wat is een jager?'

'Een jager is een groene man.'

'Wat vermag het nemen van priesteressen op zonovergoten tempeltrappen?'

'Het verhoogt de vruchtbaarheid der aarde.'

'Wie kwam er in de winterzonnewende thuis?'

'Odysseus kwam in de winterzonnewende thuis.'
'Waarom zijn wij hier op aarde?'
'Omgottedienen.'
'Hoe lang draagt een steengeit?'
'Ik zou het bij God niet weten!' riep de oude verhit.
De heer Ferwerda tuitte de lippen, het hoofd keurend schuin. 'Dit is een bijzonder goed antwoord,' zei hij toen. 'Wat zit er altijd spoedig in?'
'De stemming, de stemming zit er altijd al spoedig in.'
'En wat wordt er altijd weer opgehaald?'
'Menige herinnering wordt er altijd weer opgehaald.'
'Wat is het grootste mysterie?'
'Het lijden zonder schuld.'
'Wat is de gewoonste zaak hier beneden?'
'Het lijden zonder schuld.'
'Vul het volgende rijtje aan: Hogezand, Sappemeer, Zuidbroek...'
'Muntendam, Veendam, Wildervank, Stadskanaal, Ur, Babylon, Sipphara, Henah...'
'Wie was Prometheus?'
'Een vulkaan.'
'Waar danste David voor de Here?'
'Twee Samuel, hoofdstuk zes, vers zestien.'
'Waarom?'
'Om God te bewegen.'
'Hebt gij pijn?
Ja.'
'Zijt ge bang, zweterig, benauwd, beklemd?'
'O ja heer, ik sterf van angst als ik denk aan dat nederliggen onder de hemel tot hij in rook zal verdwijnen. Dat eindeloze niet meer ontwaken, op stoffige bodem en met wurmen bedekt.'
'Kunt gij God loven zonder bedenken, met blijde galmen desnoods?'
'God...' riep de oude, even de lippen likkend, 'ahh...

grote dingen verheft Hij in het rietgras zonder water. Een wonder van groenigheid is Hij en Hij zal niet verdorren. Hij doet de redenen der guichelaars vergaan, keert de leugen om en doet haar zwijgen. De zon gebiedt Hij met zijn ogen, de sterren verzegelt Hij met zijn lippen. Een geweldenaar is Hij en dat is Ie. Bij Hem is de kracht.'

'Dat klinkt als een verwijt,' zei de heer Ferwerda.

'Maar zie dan toch, edele heer, mijn beenderen verrotten, mijn ingewanden staan bol van het gif, mijn tanden vallen uit zodat ik het woord keztfeezt bijkans niet weet uit te spreken. Ze gaan eerst los zitten en dan zachtjes etteren met witte puntjes op het tandvlees. Iedere hap die ik eet is verderf en smaakt naar oud wasgoed. God... een walvis is Hij vol verwarring. De deugden vermogen niets tegen God. Wat doet Hem afkeren?'

'Bij Hem is de kracht,' zei de heer Ferwerda.

'Ha...' riep de vrouw schel en haar neus en jukbeenderen trokken wit weg, 'hij... vrienden van hem, uit zijn goeie tijd nog, die hebben zich hees gepraat om die nek wat te buigen, om hem zich wat schuldig te doen voelen want dat verhoogt voor Gods aangezicht zeiden ze. Maar hij is een blok gezalfd graniet in een bed, zegt hij, en dan wordt dat tandeloze bekkie scherp en smal als een mes. Dat deugt allemaal niet zeggen die vrienden, dat is Gode niet welgevallig zeggen ze. Nee, hij daar twijfelt niet, maar zíj hebben het goed: geen misoogst, insektenvraat, vuurschade of hagel. Het zijn echte heren zo te zien en wis en waarachtig, dat is zo.'

'Van buiten heer, van binnen smeer,' riep de oude verbolgen. 'De oprechte is Hij een gesel, maar de goddeloze draagt het vet op zijn gezicht, en op zijn heupen niet te vergeten, en op zijn armen. O die ellendige dikke matronearmen die ik zag in mijn leven, die verzorgde handjes met kussentjes en met de pink omhoog, aan geen werken gewend en vol ringen...'

'Maar ter zake toch, wat ik u bidden mag,' riep de heer Ferwerda.

'Als ik schuldig ben zo hebben mijn vrienden geen gelijk. Ik bid uit alle macht, Hij verbrijzele mij snel en genadig of doe de roede van mij weg. Soms...' hij boog zich met een ruk over de rand van het bed, een klein samenzweerdersgezichtje sterk vooruit, 'soms... bid ik, Grote God was er maar een scheidsman tussen ons die op ons beiden zijn handen legde.' Hij giechelde even en legde traag en beverig enkele vingers op de lippen. Daarna gleed de hand machteloos opzij. 'De heren moeten mij maar verontschuldigen,' piepte hij.

'Dat overslaan van die stem,' zei de vrouw, 'dat werkt op mijn zenuwen.'

''t Is hinderlijk,' gaf Ferwerda toe, 'zijn stem wordt echter al minder sterk, hoewel zijn tekst hier belangrijk was.'

'Minder vol ook in de klinkers,' dacht Vogelaar.

'Mijn brood kan ik niet eten, zo vol ben ik van zuchten,' sprak de oude met een kinderlijk hoog stemmetje.

'Hoe zieker, hoe bozer,' zei de vrouw, 'nu, u hebt gelijk, hij kwijnt weg, zijn oog verliest zijn glans, volgens mij blijft hem geen ander uitzicht dan de laatste adem uit te blazen.'

De oude zakte uitgeput nog verder achterover, alle uitsteeksels van zijn lichaam glansden in het licht. De grote benige handen bewogen zich teder maar onrustig over de magere, omhoog puilende borstkas als bespeelden zij een muziekinstrument. Zijn adem ging moeilijk en nu en dan klonk er een klaaglijk piepen.

'Ik leef al oneindig lang met hem samen,' zei de vrouw, 'en dat is te lang. Als hij mij nam in vroeger jaren dan las hij tegelijk de krant met de foto's over mijn schouder. Het ritselde altijd. Ik zeg u, spoedig zal het nu zover zijn dat het oog van Hem die hem steeds zag, hem niet meer ziet. Is de grond erg hard buiten?'

'Het vriest een weinig,' zei Ferwerda met een

geeuwtje, 'we moeten echter nog het uiterste proberen, nog is hij niet geheel en al lichaam. Hoeveel nachten slaapt hij nu al niet?'

'Ik kan het mij niet herinneren,' sprak de vrouw.

'Dan is hij uitgeput,' stelde Ferwerda vast. Samen met de vrouw tilde hij de teil van het vuur en zette haar op de grond. Het water schommelde en dampte. De teil tikte regelmatig en dof tegen de planken vloer.

''t Is maar een klein kereltje eigenlijk,' zei Ferwerda peinzend.

'Maar toch nog groter dan je denkt,' antwoordde de vrouw met de hand door het water roerend, 'te heet is het niet, dacht ik.'

'Over hulp had hij in ieder geval niet te klagen,' vond Ferwerda.

Ze pakten de oude van het bed met groot gemak; de vrouw omvatte de enkels met onverschilligheid, maar met een wat afhangend huilgezicht. Ferwerda greep het kereltje, dat de armen mager en slap liet bungelen en het glanzende hoofd schuin en ver achterover geknakt hield, onder de oksels.

'O Hoedeke toch,' riep de oude onduidelijk en bang, 'o Hoed, o Hod...'

Ze dompelden hem in het teiltje; benen, armen en hoofd hingen en knikten over de rand zodat hij daar lag als een uitgeteerde, op zijn rug gevallen heremietkreeft. Beiden hurkten nu naast de teil en goten met de hand het water uit over het ingezalfde, roodachtige lichaam. De vrouw pakte een washandje en begon dat uit te knijpen boven zijn hoofd. Ferwerda klotste met de hand het water naar de buik toe, diep in gedachten als speelde hij met een bootje in een badkuip. De oude steunde nu en dan van droevig genot.

Ferwerda kwam moeizaam overeind, even zijn gesteun vermengend met dat van de oude, scharrelde toen huiselijk in een hoek van de kamer en kwam daarna terug met een steelpannetje vol water in de met sproeten bezaaide hand.

Voorzichtig en met kleine straaltjes goot hij het uit over de oude bader die opeens verstrakte en alle pezen van zijn lichaam aantrok onder een langgerekt oeioëi geroep. Zijn gezicht stulpte plotseling uit in een punt, de teil schokte en waggelde met nu en dan zingende geluiden. Vogelaar deed een stap dichterbij en keek. Met kleine scheutjes goot de heer Ferwerda het koude water uit, de vrouw giechelde en streek slierten vochtig haar uit het gezicht.

Het was warm in de kamer, vond Vogelaar, zijn huid prikte en gloeide. Hij voelde hoe zijn palmen vochtig werden en het zweet nu en dan in een jeukend stroompje over zijn rug liep.

De oude stootte nog bij iedere scheut kleine hoge gilletjes uit, het haar op zijn huid golfde naar beneden, alles stond strak aan zijn lichaam dat een vlechtwerk van dunne spieren en pezen geleek. Er was geen deel van de kamer of de oude wees er heen met een knie, teen, vinger, elleboog of neus.

Met kleine rukjes, eerst aarzelend schuivend en weer opzij vallend, maar allengskens wippend, kwam het grote genitaal omhoog, door de teerzalf grauw gevlekt als een paardehuid. In kringen dompelde het lid onder, dook glanzend en wiegend weer op, maar rees ten slotte vastbesloten als een ceder.

Vogelaar staarde roerloos, hield de adem in en onderdrukte met moeite ieder gevoel.

De vrouw bewoog, ze verschoof bonkend en ritselend op de knieën, de handen grepen de rand van de teil met een harde tik van de ring wat even een vreemd jammerend geluid gaf. De nek, mager en zo van boven gezien verrassend dun, schoot naar voren. Ze schudde en rukte aan de teil, ten prooi aan een heftige ontroering. 'O God nog an toe... O mijn mannetje toch... mijn kneuterkereltje, mijn drolletje, ach wat kun je toch mooi dansen... ben je daar weer mijn lieverdje, mijn Lazarusje, mijn slangetje, mijn rijpe aar... och mijn boompje tussen de bomen... mijn vogeltje...'

...Behold now Behemoth which I made with thee...

'Stuiptrekkingen,' zei de heer Ferwerda tegen Vogelaar, de hand aan de mond als bij een terzijde, 'dat kan om allerlei verborgen redenen. De natuur... bij hazen leeft bij voorbeeld het achterpootje het langst, zo'n beest is om zo te zeggen tot diep in de dood nog op de vlucht. Ik voor mij vind het verwarrend en ook wel beschamend om zo om zijn verharde lid te moeten sterven, maar misschien ziet hij de hoeri's wel in het paradijs. Hij kwam toch ergens uit het oosten?'

'Hij was altijd zo lief voor me,' huilde het vrouwtje aan de teil rukkend, 'zo zorgzaam en niets was hem te veel. Ach, wat zouden we het nog goed kunnen hebben op onze oude dag.'

'Reflexen,' zei Ferwerda stroef, 'allemaal reflexen, zoals bij gehangenen. In de middeleeuwen kwamen de vrouwen kijken bij de terechtstelling, de hangpartijen en klapten in de handen wanneer, na de muziek, de dirigent het orkest liet delen in het applaus. Het had óók wel iets van de tong uitsteken. Alles heeft wel iets van alles. Ik ben moe.'

'Ik zou hem kunnen verzorgen,' weende de vrouw, 'goed kunnen voeden, lang laten slapen. In de zomer wat reisjes langs de zee en dan met z'n tweetjes in een klein hotelletje.'

'Ik ben moe,' zei Ferwerda, 'waarom toch alles steeds weer opnieuw? Denk toch eens na, alles steeds weer opnieuw: de stilte en de godgewijde rust van de sterfkamer verpest door de schelle kreten van het spelend en huppelend nageslacht in de tuin... ra, ra wie heeft die bal... Wéér wordt het kwart over negen, tien voor half tien... half tien... godallemachtig...'

'We hebben nog een heel leven vóór ons,' zei de vrouw de tranen drogend, 'ik zal hem mooi aankleden: een glanzende zwarte hoed waar hij zich in spiegelen kan, een wit vest met glazen knoopjes.'

Buiten de hut klonk weer een schot, een geluid als van brekend ijs. Het galmde even en was opeens weg.

'Du Jäger hinter Wolken,' prevelde Vogelaar.

'De wereld is nu om een haas verminderd,' oreerde Ferwerda, 'een wereld is vergaan, een hazenwereld. Twee andere hazen spitsen de oren, waakzaam... iets wil er blijkbaar niet meer weg. Misschien is het goed uit te gaan van de dingen zoals ze zijn, maar wie kan er eigenlijk goed tegen het tikken van een klok in de nacht?'

Samen met de vrouw tilde hij de druipende en van alle wateren gewassen grijsaard weer in bed. Er kleefden nog maar weinig druppels aan zijn huid. Het lid hing in een boogje tussen waken en dromen, het benige hoofd hing meewarig scheef met zachtjes sabbelende mond.

Vogelaar keek naar de oude, vochtige man, opgesloten in zijn huid waarop de druppels parelden alsof hij hevig transpireerde. De verschijning vervulde hem met een gevoel dat hij vaag herkende. Ja, hij moest het zich met tegenzin bekennen, het had iets van een zacht misselijk makend schilderij vol wenende vrouwen.

'Wat ziet hij er lief uit,' fluisterde de vrouw verrukt, 'een wit boordje om, stropje voor, zijn haar gekamd en het is weer een pront manneke.'

Ferwerda staarde somber voor zich uit.

'Ik moet even zijn ingedut,' zei de oude en hij slikte lang, moeilijk en hoorbaar.

De vrouw streelde zijn holle wang, 'mijn eigen lieve Tobias,' zei ze teder. Haar stem klonk schor.

'Ik heb geloof ik van dat meisje gedroomd,' sprak de oude zwak, 'dat meisje dat daar bij jullie in het hotel is, de ziel.'

Vogelaar keek naar de vrouw. Haar uitdrukking veranderde nauwelijks.

De oude knikte. 'Ja, ja, ze liep boven op een dijk, zo

tegen de lucht en ik stond onderaan en keek. Er lagen van die zwarte basaltstenen en overal van dat knappende bruine wier. Alles klotste en rook naar vis.'

'Welk meisje?' vroeg Ferwerda met een grijns.

De oude zweeg een tijdje, misschien viel hij weer even in slaap. 'Die Magda,' zei hij toen, 'dat kind dat daar doodgaat bij jullie. Dat óók doodgaat?...' Het laatste zinnetje voegde hij er vragend, bijna smekend aan toe.

'Welnee, u moest maar wat proberen te slapen,' zei Ferwerda terwijl hij het laken over de zieke heentrok, 'dat zal u goed doen.'

...every one also gave him a piece of money...

Buiten viel een dichte ijzel, prikkend in het gezicht, fijn glinsterend bij de lantarenknop. Met een warm en gelukkig gevoel stapte Vogelaar achter Ferwerda aan, de voeten hoog optillend, de armen voor het gezicht vanwege de zwiepende takken.

'Hij droomde van het meisje,' zei hij.

'Ze heeft een bloedziekte, maar ze is alleen maar erg moe en bleek, verder zie je er niets aan.'

'Geen eetlust,' zei Vogelaar.

'Juist ja.'

'Wat voor bloedziekte?' vroeg Vogelaar, hij hield de handen voor de mond en blies erop om ze warm te krijgen.

'Het begon allemaal met een gewone angina, tenminste dat dachten ze bij haar thuis. Maar het ging niet over en toen was er een of andere medische student die de onvergankelijke woorden sprak: "Laat haar bloed eens bekijken." Je begrijpt de huisarts had toen afgedaan en werd opnieuw aanbeden in die jonge snotneus. Alles begint steeds weer opnieuw.'

'Is het een erge ziekte?'

'Natuurlijk, ze voert linea recta naar het graf, dat is

dus een erge ziekte; blauwe plekken, bloedneuzen, ik heb er eens over gelezen. Ik heb ook met haar ernstig gepraat om eens te weten wat voor geest er huist in wit bloed. Het hele bloed wordt wit, het wordt een heel wit meisje.'

'En?' vroeg Vogelaar.

'Een witte geest, niet korrelig en zwart zoals de mijne. Geen eetlust, geen enkel verlangetje meer. Ze vijlde haar nagels toen ik met haar sprak, steeds maar door, rot gehoor.'

'Wat een wijf,' zuchtte Vogelaar omkijkend, verward en aangedaan tot in het middenrif.

'Weet je hoe de mensen haar noemen?' vroeg Ferwerda, 'de heks van de achterweg.'

Het hotel stond nog plotseling voor hen, alsof het uit het donker op hen toetrad. Het zolderkamertje was in de zwarte lucht niet meer te ontdekken. De zaal was warm en verdween ogenblikkelijk achter een mist. Vogelaar nam zijn bril af om hem schoon te vegen en wist al vegend hoe hij daar stond met bijziende en naakte ogen.

De tafel was gedekt, zijn plaats was naast het meisje. Hij knikte haar vriendelijk toe: vaderlijk, warm en met alweer licht beslagen bril. Uit de borstzak van de dwarsgestreepte staken een paar schroevedraaiertjes, de grote gespierde handen lagen naast het bord.

Ferwerda fungeerde als wijnschenker, hij manipuleerde onhandig met een wit servet vol rode vlekken en dribbelde om de tafel heen, nu eens plechtig en statig, dan weer bijna kneuterig. Vogelaar voelde zich ongemakkelijk toen Ferwerda tussen hem en het meisje stond. 'Een heerlijke wijn,' prees hij, het meisje vol inschenkend, 'fruitig, tikje agressief misschien, maar bescheiden van afdronk.'

Aan het hoofd van de tafel zat Ma, lieve Ma op veilige afstand: een geweldige boezem en een blanke hals. Vlak voor haar stonden de schotels dicht bij elkaar en glimlachend schoof ze de schalen van zich af: de hazebouten, de vossebessen, de gele aardappelpuree met bruine korsten, blokjes geroosterd brood, en alles straalde als een regenboog.

'Wij zijn één grote familie,' zei Ma ontroerd, 'één grote familie.'

Vogelaar dronk en staarde in de kaarsvlammetjes. Hij voelde zich gelukkig, alles begon een beetje naar elkaar toe te kruipen; een stervend meisje, de hals van Ma, het leed van de vriend aangedragen door de rode handen van de knoppendraaier, geur van hars, dreiging van sneeuw. Het meisje naast hem was vijftien, zestien hoogstens, onder haar truitje had ze borstjes die zacht welfden, nutteloos en zinneloos groeiden.

'Proost,' zei Ferwerda alsof hij op deze gedachte schoot, 'dat we maar lang en gelukkig mogen leven.'

'Ik wil wel heel erg oud worden,' zei het meisje opeens, ze legde mes en vork neer en probeerde te lachen.

Vogelaar merkte dat hij wat wezenloos naar het meisje zat te glimlachen, ze bloosde, heel zwakjes, met goed rood bloed zou ze zeker heftiger hebben gebloosd, maar dan zou ze zeker niet naast hem hebben gezeten. Nu zat ze er wel. Op de een of andere wijze had ze een gezicht dat hij maar moeilijk lezen kon; het was te vlak, te glad, alle uitdrukkingen waren er alleen maar bijna.

'Niet koud laten worden jongens,' zei Ma. Ze zag er nu veel kalmer uit, alle opwinding was uit het gezicht verdwenen. De schalen begonnen weer te bewegen. Naast Vogelaar plukte het meisje lusteloos een klein stukje vlees uit elkaar, vezeltje voor vezeltje.

'Die hazen,' zei hij, 'die smaken zoals de grond ruikt, aarde, bittere bladeren, eikelpulp. Je moet grote stukken eten, wijn moet je ook met grote slokken drinken, het moet gorgelen en plassen. In een klein mondje kan de vreugde niet naar binnen.'

'Maar ik heb heus geen trek,' zuchtte ze. Haar gezicht stond even verontrust, beangst bijna. Geen eetlust vereenzaamt aan tafel. Het viel hem weer op hoe glad haar gezicht was, wel gevoelvol en wat verdroomd, maar niets erin was onderstreept tot een karaktertrek. Door het kaarslicht zag hij overal op haar gezicht een waas van kleine haartjes, ook op de bovenlip. Misschien werd ze met hormonen behandeld; veel haar, kleine borsten, lage stem.

'Waar heb je dan wel zin in? Zuur, zoet, zout, bitter?'

'Ik ben moe,' zei ze en veegde zich over het voorhoofd. Hij zag dat ze zich verveelde, iemand die stierf en zich verveelde dat was een ergerlijke zaak.

'Ik verveelde mij nooit,' zei hij hardop.

'Jij verveelde je altijd heb ik gehoord van Ma,' zei Ferwerda, door zijn volle mond kon hij niet meer zeggen, maar zijn ogen schitterden en twinkelden.

'Als ik zeg nooit, dan is het nooit. Bij Puck verveelde ik mij nooit, zondagen lang lag ik in zijn kamer op de divan, handen onder mijn hoofd. Ik verveelde mij niet, waar Ma? Bij Puck niet.'

'Ach ja,' zei Ferwerda met een klein buiginkje en hoffelijk berustend handgebaar, 'wanneer Puck dit nog eens had kunnen meemaken.'

'Puck maakt het mee.' Aan het eind van de tafel leunde Ma met gesloten ogen achterover, het lunaire gelaat nog wat nakauwend omhoog als in gebed. Even later zat ze doodstil.

Het klonk, hoe devoot ook uitgesproken, als een klok. Daar zat opeens de oude Ma, de kaarsen flakkerden, een landschap waaierde open alsof er plotseling een mist optrok. Volgens hem was het altijd wat lijflijk aandoende geloof van Ma ontstaan uit de kaartclub, een vergeestelijkt wereldje van merkwaardige en oude tantes, een wereldje van geesten en spoken waarvan de elementen in gebaren waren omgezet omdat een van de leden doof was gelijk een kwartel. Harten, klaveren, schoppen, boer... men schopte tegen de tafelpoot, tikte op de ruitjes van de bril, legde de hand op het hart en alles zo griezelig ernstig alsof het, onder het mom van kaarten, over heel andere zaken ging. Een voorstel, een uitvinding bijna van de heer Schröder was het bij boer tikken tegen het voorhoofd. Bij de andere gebaren tegen bril en hart leek het of men zich voortdurend bekruisigde. De heer Schröder zelf speelde niet mee, hij had de pest aan kaarten, maar in de stilte van het spel hoorde men hem stommelen en kraken in het huis.

Een verwarrend huis, het huis van Ma, altijd veel mensen op kamers, schimmen, vluchtige gestalten. Hij herinnerde zich een helblonde, bijna witharige vrouw met gespannen kleren en golvende heuplijn, die op straat haar hoge hakken kon laten roffelen als een oorlogsdans. Ze speelde de hoer volgens Ma die een merkwaardige afkeer had van het duidelijk vrouwelijke en onmogelijk was dit niet, nu en dan kreeg ze bezoek van een sterk geurende Indischman met kwieke stap. Dan sloot de deur zich achter het paar en luisterde Vogelaar naar de doodse stilte van de ontucht, tot hij vernam dat de riekende oosterling haar gescheiden echtgenoot was. Ook bevatte het huis ergens een tante Roosje, een kleine schim uit Java met een schutkleur. Gebogen was zij en nederig als geen, onverzettelijk maar doodsbang voor ruzie. Dit verscheurde het huis al, er was geen eenheid te zien; wanneer Vogelaar, na voetstappen op de gang die sleepten en schuifelden, zich voorbereidde op sarong en kabaja dan stootte hij onthutst en beschaamd op de helblonde, wanneer hij met herinnering daaraan speurend de gang betrad op weg naar het toilet, dan had hij een abonnement op tante Roosje die ook maar moeilijk kon verklaren waarom ze zo vaak in de gang aanwezig was. Er waren ook mensen in het huis die men nooit te zien kreeg, zo moest er hoog in het huis een oude debiele man wonen die een blauwe bril droeg welke hij nooit afzette.

Ook pa Schröder was een moeilijk vatbare man; hij had de gewoonte aan het einde van de dag een fles melk in zijn geheel leeg te drinken. Het hele pension stond tot zijn beschikking, maar hij deed dat staande in de kamer voor het raam. De zon stond dan laag in het venster, spatte uiteen op de melkwitte fles en kroesde gouden in het weinige kruif dat de heer Schröder nog op het hoofd droeg. Een melkoffer, een uitdagend geheelonthoudersritueel, terwijl de man toch volgens de harde feiten vaak genoeg naar de jenever rook. Een vaag gevoel voortdurend te worden beduveld verliet Vogelaar zelden in dat huis. Ook verder was pa Schröder wel een man van het raam; na de melk zat hij er met de rug naar toe, de krant uitgespreid voor zijn gezicht, maar zo vijandig zwijgend dat je je steeds moest afvragen hoe hij daar nu zat te kijken. Zijn stralenkrans stak echter lieflijk boven het nieuwsblad uit, nu en dan snoof hij diep en rochelend, slikte hoorbaar en ritselde met de krant, en zo zat hij daar als een vreemde aardgebonden man, stevig en met een buik vol melk.

Puck vulde hem aan met een snier, een toespeling, een monkeling. De man kwam aan bepaalde plichten niet meer toe en bezat volgens Vogelaar die de gewoonte had veel verhalen om te zetten in beelden, een klein, inactief genitaaltje. Veel melk en het kleine vaderlijke lid in ruste... Ook dat nog en wel zo vlak bij elkaar. Wat weer wél klopte met de melk was de maagbloeding die de man had gekregen. Vogelaar bezocht hem met Puck in een oud en spelonkachtig gebouw dat vroeger een tehuis voor bejaarden was geweest. Het lag aan een stille gracht met dik groen water. Op de tenen slopen ze langs vele bedden, alles was stil en ziek, maar de vader bleek vrolijk; veel kranten natuurlijk naast het bed en een glas melk dat was onvermijdelijk. Vogelaar had toen voor het eerst gezien dat de man aapachtige handen had, grote sterke, gelede vingers waarop veel haar. Een en ander met een klein genitaaltje. Ook rimpelige vingertoppen had de man, als van een wasvrouw, misschien zag hij er helemaal zo uit. Hij had veel bloed verloren blijkbaar, maar zo te zien werd men daar vrolijk van.

In het spoor van deze man waren de duistere geesten, de onstoffelijke wezens in huis gekomen, vreemde pensiongasten die zich in alle schemerige portalen, gangen en kamers tegelijk nestelden. De muren bleven onwrikbaar staan, kantig en hoekig in het bos, maar van binnen werd het huis dieper, wijder en donkerder. Ondanks de vele plotselinge tegenvallers, ruzies en kwalen waren het er maar drie in getal, een merkwaardig onverzoenlijk getal op de een of andere manier. De geesten zorgden voor de herhaalde maagbloeding, misschien leefden ze op melk. Tijdens het leven van de heer Schröder wist Vogelaar dit alles maar vaag, wat hij hoorde was gemurmel achter gesloten deuren, maar later herinnerde hij zich veel. Toen wist hij dat de ziekmakende geesten naar het licht werden gebeden, tot klaarheid, alle drie. Gebed was de enige mogelijkheid, maar paarde zich weer aan een andere kwaal, een krachtige hoest. Het bidden schoot tekort, de man ging over en betrok ergens een schaduwhoek in eigen huis. Hij liet Ma achter die opveerde als jong gras want ze had bijzonder veel energie en daarbij veel steun aan de zoon. Puck vertelde dat ze om vijf uur opstond in de grauwe ochtend en om zeven uur het hele huis aan kant had, alle gangen en portalen en met de was en al. 'Mijn moeder is een paard,' zei hij. Ma boende, veegde en krabde het huis in de kille ochtend, een enkele maal hoorde ze stemmen, het was nog maar kort na de dood van de heer Schröder. Eenmaal had ze gehoord 'ik zal u kracht geven' en een stroom van kracht had ze door haar geweldige boezem voelen gaan. Ook haar overleden grootmoeder had ze mogen zien, vanuit bed, dat moest dan nog een vrouwtje zijn geweest uit de tijd van

Waterloo. De verschijning droeg een blinkend zwart gewaad met wijde mouwen, wees met de hand naar haar en stond anderhalve meter boven de grond. Ze kon er vrolijk over praten in die tijd, maar vaak had ze een bandgevoel om het hoofd en een prop in de keel die niet weg viel te slikken, vooral na Pucks overlijden. Eigenlijk had Vogelaar haar altijd bewonderd en aanbeden.

Hij dacht aan haar getalkte lichaam, een kostbaar geheim hier aan tafel, en ook aan haar borsten vol veiligheid. Zijn hoofd lag tussen haar warme borsten als staarde hij tussen twee duintoppen op een zomerdag naar de zee. De zomer zou dat meisje naast hem niet meer zien. Hij zag zweetdruppels op haar voorhoofd. Nee, de zomer zou ze niet meer zien. 'Ze ziet geen zomer meer,' prevelde hij, 'nooit meer,' en hij legde teder zijn hand even op haar arm.

'Christus is geboren,' riep Ferwerda met de vork op zijn bord tikkend.

'Hoe komt u daar nou opeens bij?' vroeg mevrouw Van der Does toonloos.

'Ik weet het niet lieve mevrouw,' zei Ferwerda haar opgetogen aankijkend, 'ik moet u in alle eerlijkheid zeggen dat ik het niet weet. Ik heb een oud krachtig hoofd, moet u rekenen, ik loop erin rond als een schoolmeester op een stuk schoolplein. Zoëven nog dacht ik, terwijl ik voorzichtig een stukje rug losmaakte van een wervel en het zo prachtig lukte, toen dacht ik hier is vrijheid, beminnelijkheid, Christelijke atmosfeer en zo. We delen alles, want er is zo veel. Vol vergeving reiken we de schalen rond want er is meer dan we opkunnen. Vreugde, vrede en goede wil voel ik opeens in mij oplaaien, ach ik hou toch zo veel van de mensen...' Hij boog zich ver naar mevrouw Van der Does, smekend en met een wat bibberende onderlip, maar mevrouw Van der Does hield het hoofd diep over haar bord, met ronde schouders en zei niets, ze wiegde

alleen een beetje.
'Wat heb je?' vroeg Ma kort.
'Pijn.'
Ma snoof. 'Nu een kind willen krijgen is hysterisch.'
'Voel je ervoor om samen naar de kerststal te gaan kijken?' vroeg Vogelaar aan het meisje, 'het is niet ver, nog geen tien minuten lopen.'
'Waarom?'
'Je voelt je niet goed, ik kan het zien.'
'Oeh,' kreunde mevrouw Van der Does, ze wiegde, steunde en huilde zachtjes.
'Hoeren,' zei Ferwerda die naar haar zat te kijken, een mes in de ene, een vork in de andere hand, 'timmerlieden, de douane, de stempels, de luizen, feesten, vrouwen, dakvensters, de mensen op straat... het borrelt maar op, eindeloos als een treiterende demonstratie, het heeft iets van een onbereikbare vrouw die zich steeds maar aan het uitkleden is. Zwangeren zouden dat punt heel diep in zich moeten voelen, ik zou er mijn hand teder op willen leggen en dan opeens met kracht...' Hij balde zijn sproetige vuist, de knokkels schenen wit, de vork schitterde en fonkelde.
'Je hebt te veel gedronken,' zei Ma met spleetogen.
'Ik leef voortdurend onder rabbinaal toezicht,' klaagde Ferwerda zijn hand ontspannend en er verbaasd naar kijkend, 'altijd ben ik door vrouwen omgeven.'
'Dan ga ik alleen,' zei Vogelaar. Hij maakte een gebaar tegen Ma dat alles kon betekenen en stond op. In de gang keek hij een tijdje in het lege trapgat, wat een feest. Binnen hoorde hij Ferwerda roepen en ook de sussende stem van Ma. In het donkere trapgat starend zag hij Ma tronen aan het eind van de tafel als altijd en immer. Feest? Nee, een Mafeest dat was een aanval als in vroeger dagen, scheefzakken in een stoel, gezicht omhoog, onpeilbaar leed, ja hoor Puck... moedertje komt... moedertje komt bij je mijn jongen... ach mensen wat heb ik een verdriet gekend in mijn leven. Koor

van buurvrouwen: mens wat ben je toch flink, hoe heb je het allemaal kunnen dragen, jij hebt toch ook je deel wel gehad, eerst je man, dan je zoon... Ma snikt en lepelt een gebakje met slagroom, roert in haar dampende koffie, ook al met slagroom, van die dikke scheerzeepklodders, een mens moet toch wat hebben, het beste is de zenuwen te overeten. Ze schurkt met haar grote witte achterste in haar stoel heen en weer... jullie hoeven mij niet te beklagen... ik draag het wel alleen, dat zijn van die dingen die moet je *alleen* dragen, daar moet je *alleen* door heen... ja, schenk nog eens in... mensen die geen kinderen hebben kunnen niet begrijpen wat een *moeder* uit moet staan... Feest... feest van de op het baren verliefde Ferwerda. Hij grijpt mevrouw Van der Does... tilt haar rokken op, hij moet tenslotte ook leven, wat zullen we nou krijgen, hij strijkt haar over het bolle, levenzwangere buikje, over de bron der dingen, hij neemt haar... eindelijk na vele decennia weer potent, knorrend en brullend als een oude sauriër in de modder. Kreunend en sigaren rokend neemt hij haar; van voor, van achter, van boven, van onder. Zijn handen met de zomersproeten strijken en wrijven, kneden en boetseren raadselachtige tekens. Hij schokt en voelt leven... dikke voeten, roept hij dolgelukkig, dikke enkels? Ben je al zoutloos? Smaakt vermicelli nog steeds naar karton. Laat je eens ruiken... ahh... geur van wijwater en stapeltjes wollen lijfgoed, zeep, zure melk en huidschilfertjes in afkoelend waswater, o gezegend ben ik de vrucht van uw schoot... en zij glimlacht maar als de aarde zelf, met die glimlach van heel zwangere vrouwen... mijn lieve, sterke, naar hout geurende man, mijn zoontje...

En dan het meisje, dat lieve kind. Zou die nu werkelijk doodgaan? Wat voor feest verlangt men dan nog? Hij had zijn jas al aan maar liep weer terug in de deuropening, de wetten vervloekend die voor de neerslag zorgden op zijn brilleglazen. Met gebogen hoofd over zijn bril turend liep hij op Ma af, als een bok die eens gezellig kwam stoten of als een schoolmeester die iets wist wat de aarde even zou doen stilstaan.

'Ik geloof dat Magda best even wat buitenlucht kan gebruiken, is het goed dat ik een eindje met haar omga?' Ma hing scheef in haar stoel en schrok op. Ze begreep langzaam, gaf hem toen een vulgair knipoogje. 'Laat ze zich goed aankleden,' zei ze nog toen hij wegliep.

Het meisje ging nu gewillig mee, wist waarschijnlijk niet dat de tocht naar buiten voerde, of wel en kon het haar niets meer schelen.

Hij knoopte haar jas dicht, grote, kinderlijke benen knopen, en merkte dat ze door zijn rukjes heen en weer zwaaide. Die zou wel slapen vannacht. Hij zocht zijn sjaal op en wikkelde die om haar hals. Buiten leunde ze direct tegen hem aan. 'Ik ga maar weer naar binnen,' zei ze zwak, 'ik voel me niet goed.' Het was een stem die een kleine warmte verspreidde.

'Jij weet niet wat goed voor je is,' antwoordde hij, 'geef me maar een arm.' Zijn arm speurde nieuwsgierig hoe ze daar stond, of ze rilde, verstijfde of verstrakte. Om hen heen lag het bos, een gruwelijke duisternis van aarde en dof papier. Hij knipte na een tijdje de lantaren aan en ze begonnen te lopen. Hij moest zich naar haar overbuigen en scheef lopen wanneer hij haar een arm wilde blijven geven. Dat maakte vreemde, onhandelbare gevoelens vrij, ten slotte sloeg hij zijn arm om haar schouders met een warm gevoel in zijn borst en een koude rechterhand.

...and she was all of solid fire and gems and gold, that none his hand dares stretch to touch her baby form...

'O God,' bad hij, 'o Abba, let toch eens op je zaken... nu moet het toch sneeuwen... vooruit ouwe doodbidder, word eens wakker.'

Ze schuifelden verder door de smalle spleet die hij met het lichtbundeltje van Ferwerda in het donker sneed. Het vroor, zeker had ze nu kleine rode handen van de kou, toch geen gezond teken, dat was zeker. 'Aan kou en duister zou ze moeten gaan wennen dacht hij haar even tegen zich aandrukkend.

'Koud?' vroeg hij.

Ze gaf geen antwoord maar maakte een wat bibberend geluid.

'Toen ik hier naartoe ging,' verzon Vogelaar, 'en op de bus moest wachten, ging ik voor de kou maar in de hal van het postkantoor staan, dan heb je nog wat warmte bij de draaideuren. Daar zag ik meneer Jansen. Waar ik woon heet de dood Jansen, hij is begrafenisondernemer maar ook kolenhandelaar. Zolang je nog leeft wil hij je lijf verwarmen, maar als zijn kolen je niet meer kunnen helpen dan loopt hij met zwarte steek voorop bij je laatste rit. Die twee functies zijn voor mij de garantie voor zijn echtheid als dood. Steeds als ik hem zie dan denk ik, manneke zal jij ook nog eens aan het hoofd van mijn stoet lopen en daarom vroeg ik hem deze keer: "Denkt u nu nooit eens aan uw eigen begrafenis meneer Jansen, als u zo voor zo'n stoet loopt?" Onzinnig natuurlijk om zo'n koploper te willen ondermijnen, maar hij had het ook koud en ik dacht je kunt nooit weten. Misschien had ik de stille hoop hem tijdig voor mijn stoet weg te vegen, of gewoon wat behoefte aan troost in al die kou, die steek weg en een sterfelijk mens voor mijn stoet.'

Hij wachtte even, maar toen er geen vraag kwam ging hij verder: '"Ja daar denk ik wel eens aan," zei Jansen, maar dat was helemaal mis, net een radiomonteur die zegt, ja hoor, ik krijg ook wel eens een schok.'

Hij wachtte weer even, maar toen het stil bleef herhaalde hij langzaam: 'Nee, dat was helemaal mis.'

'Laten we teruggaan,' zei het meisje.

'Zo dadelijk, kijk.' De kerststal straalde in de verte, helwit, men had de kleur veranderd, de lampen een beetje aangedraaid en ze was schoner dan ooit. Overal om de stal schoten de lichtbundels de hoogte in. Ze kraakten en schuifelden door een doodstille nacht. Hij stond stil en klemde haar tegen zich aan, vreemd ontroerd, 'Luister...' en de stilte viel, mateloos ver en wijd en vooral boven de hof van licht en vrede. Het dorp had men weggehaald en in de kast geborgen. Nu en dan prikte er iets in zijn gezicht, misschien begon er snel een baard te groeien. Hij richtte de bundel van de zaklantaren omhoog: een straal licht, aan het einde stond een tak. Alleen waar het licht was sneeuwde het.

Ze liepen verder, het hoofd wat gebogen. 'Je moet natuurlijk wel kijken,' zei hij zacht, 'zo iets beleef je geen tweede maal... Franciscus van Assisi wilde de winterkou in de kribbe hebben, hij liet buiten een stalletje bouwen en de monniken stroomden toe en ook dertiende-eeuwse landsknechten met fakkels. Alles op weg: kribbe, stro, os, ezel, kluizenaar. Mooi verhaal, ver beeld. Franciscus barstte in tranen uit en predikte schoner dan ooit tevoren.' Hij zweeg even terwijl ze de stal naderden. 'Zo is dat,' zei hij toen.

In de stal was alles stil, sneeuwpuntjes fonkelden boven de grot. Er was nog geen kerstkind, de mannen stonden roerloos als bevroren lijken en leken maar weinig bereid om nog te aanbidden. Maria staarde kil in haar schoot, haar lippen wilden iets zeggen, bleven echter stil. De andere vrouwen keken hard en koud langs elkaar heen.

'Kom,' zei hij na een poosje, 'we gaan weer terug.' Het was nu ook stil in zijn hoofd. Ze schuifelden weer terug, maar opeens bleef hij staan. 'Wacht hier even, loop maar wat heen en weer voor de kou, ik ben zo terug.'

'Ik ben bang,' zei ze schril, dunne stem, zonder echo, maar hij liep op een sukkeldrafje weg. Voor de stal bleef hij staan en keek, met de hand de ogen afschermend tegen het licht, om zich heen. Er was niemand te zien en met trillende benen stapte hij over het hekje met een gevoel of hij naakt was, een toneel opliep of het volkslied zong in den vreemde. 'Vergeef me maar jongens,' zei hij zachtjes maar zijn stem klonk nog te hard omdat hij hijgde. Het waren allemaal harde baarden zo van dicht bij, met de glans van lijm duidelijk tussen de haren, die kleren bleken binnen het licht grof en vuil, er kleefde aarde aan en strootjes. Naar de dode ogen durfde hij niet goed te kijken. Voor Maria ging hij op de grond zitten, de ogen bijna gesloten voor het felle licht en hij legde voorzichtig zijn hoofd in haar schoot en tegen de rondingen van haar dijen...

But when they find the frowning babe terror strikes through the region wide...

Maria wankelde even met tok-tok-geluiden, zodat hij zijn hoofd maar weer optilde wat haar opnieuw deed wankelen. Naast zijn hoofd staken haar handen in de vrieskou; de vingers waren dun, sommige zaten aan elkaar en hadden rode, gelakte nagels. Om de pols hing een half afgescheurd prijskaartje. Hij sloot de ogen en liet zijn hoofd weer voorzichtig zakken in de koele plooien van de heilige schoot, scherp luisterend.

Buiten de stal, op de weg klonken voetstappen... het meisje? Doodsbang voor het donker waar ze toch niet aan zou ontsnappen... 'Ga heen lieve kind,' mompelde hij, 'uw ziekte is u vergeven... word maar weer zo'n levensvatbaar krengetje, zo'n van leven tintelend klein loeder dat oude heren van de sokken loopt... ik zal je missen.'

Door zijn hoofd wat te bewegen kreeg hij de hand van Maria tussen zijn ogen en de verblindende lamp. Op het stukje straat liep de veldwachter, de handen op de rug, kromme pijp in de mond, diep in gedachten. Zijn koperen knopen glansden en vonkten in het licht. Vogelaar zag hem naderbij sloffen, stap... stap... stap.

Hij zag de knieën in de broek, de wijd uitstaande zakken van het uniformjasje, het stuk verlichte straat er omheen: een veldje van geelrode harde steentjes die twinkelden van de vorst en daar weer achter de schemerende stammen en takken, maar alles heel ver af alsof hij het zich vol heimwee herinnerde.

Langzaam schoof hij achteruit tot dicht tegen de voeten van de moeder Gods. Als een soldaat in oorlogstijd loerde hij vlak boven de grond tussen de grote gestalten door naar de veldwachter. Deze slofte nu aan de kant van de weg waar nu en dan het grind knarste onder zijn dienstschoenen.

Opeens bleef hij staan en nam de pijp uit de mond. 'Krijgen we nu?' De stem kraakte droog en hard: 'Kom daar eens achter vandaan jij... en wel ogenblikkelijk. Wie heeft jou gezegd dat jij daarin mocht gaan zitten?'

'Niemand meneer.'

'En waarom deed jij dat dan tóch?'

'...'

'Nou? Komt er nog wat van? Of moet ik die tong van jou eens losmaken?'

'Ik wou een grapje maken meneer.'

'Een grapje... aha... jij wou een grapje maken... Horen jullie dat jongens? Meneer wilde een grapje maken, meneer is een *grappenmaker...* Laat jij je handen eens zien... laat jij je eens *helemaal* bekijken... Weet jij... wel wat je gedaan hebt? Weet jij wel wat jij daar hebt gedáán?... Ik vraag je wat... tong verloren? Hè... háh... heungh...?'

'Jezus,' dacht Vogelaar terwijl hij de grot inschoof op zijn buik.

'Hier blijven jij...'

Boven zijn hoofd hoorde hij de engelen kloppen tegen het hout.

'Kom te voorschijn.'

'Lopen jongens...' Vogelaar rukte aan het doek van

de grot, gele planken kwamen bloot, veel spijkers en geen kleine ook.

'Moet ik het nóg eens vragen?'

Hij rukte wanhopig, alles schokte tokkend en bonkend heen en weer: Maria, de herders... de een gierend van de lach, de ander wiegend van ontzetting.

Gekromd, op de schouders getikt door demonen stortte Vogelaar zich in de struiken en hij ontkwam. In gedachten zag hij de stal steeds kleiner worden. Hijgend hurkte hij ten slotte neer bij een boom en luisterde. Er klonk geen geluid van dreunende voetstappen en brekende takken wat hem vreemd genoeg vernederde en teleurstelde. In de verte zag hij tussen de stammen de felle lichtprent van de stal. 'Kalm blijven,' dacht hij bibberend, 'kalm... thuis ligt mijn tafel vol rustig, glad, knisperend papier. In mijn kamer staan de geraniums en de schemerlamp.' Hij kreunde, 'Kalm blijven, kalm blijven...' Eindelijk werd hij wat rustiger. 'Daar ligt de stal,' dacht hij rillend, 'dan ben ik dus zo gelopen, dan moet het meisje daar ergens zijn. Voorzichtig.'

Ze zat braafjes onder een boom toen hij haar ten slotte vond: koud, stil en bang, een krijtwit gezichtje, maar zo weinig aandacht eiste haar lichaam voor zich op dat hij, in plaats van aan haar graf, voortdurend moest denken aan een afgehouwen en op een stok rondgedragen hoofd. Hij tilde haar op, teder in de handen, angstig nog in de rug.

'Kom,' zei hij nerveus, 'we moeten zien dat we hier wegkomen, er zit een veldwachter achter mij aan.' Ze sukkelde naast hem, even gewillig in de verkeerde als in de goede richting. Hij merkte dat toen hij naar de weg moest zoeken en op zijn schreden terugkeren.

'Kon je iets zien hier vandaan?' Ze begreep hem niet en hij haalde geërgerd de schouders op, legde echter direct als geschrokken zijn arm weer om haar heen. Eindelijk zagen ze het licht weer van de deur, oude gele prent in het donker, geur van rook.

In de gang was het stil, door het ruitje keek hij in de zaal. Alles roerloos, in het midden stond de tafel nog onafgeruimd. Ferwerda lag achterover in zijn stoel, hij sliep, een hand op zijn gulp in het gebaar van de zonnebadende maagd. Ma zag hij niet.

Opeens voelde hij een kleine hand in de zijne, een verrassend warme en vochtige hand. Hij dacht er even diep over na, de hand diep in zijn gedachten en met nog de beelden voor ogen die hij door het ruitje had gezien, vooral de opgebaarde Ferwerda met de obscene hand.

Achter elkaar stommelden ze de smalle trappen op, ze wist waar ze moest zijn. Hij herkende de gang en de trappen niet goed meer, er was veel veranderd en hij dacht aan smalle donkere stegen met op de keien kleine oranje plassen van de lantarens. Herhaaldelijk voelde hij hoe ze zich tegen hem aandrukte daar op die houten klossende trappen die hem zo weemoedig maakten. Zijn hart klopte zwaar en sloeg over.

Alles om hen heen was van hout en bruin geschilderd, het was te ruiken. De trappen bleken smal, liepen misschien wel puntig toe naar boven en hij miste zijn stok zeer waarmee hij nu voorzichtig in het donker had kunnen prikken. Hij stond stil en dacht: 'Jezus nog an toe wat ben ik moe,' en plotseling, beveiligd door zijn moeheid, zocht hij, vooroverbuigend en ineenzakkend, haar mond. Het duister werd zacht en warm, een droog en korsterig o'tje hing in het niets. Zoenen kon ze goed, de eerste maal zeker, nog onbeschadigd. Geluidloos kuste ze en de kussen vielen als nieuwe gouden munten op een wollen doek.

Het raam van het dakkamertje kende hij, van buiten, van onderen, maar nu ook van de binnenkant. Bleek en blauw wierp het een streep licht over de gehaakte beddesprei. Het kamertje was klaar voor de nacht; de lampetkan glansde kil voor het raam, het beddescherm stond al opgesteld. Jonge liefde... jonge liefde... Zijn gedachten tolden dronken verder, jonge liefde... eerst iedere nacht, ochtend, middag... dan iedere derde dag, dan iedere zaterdagavond na het bad of ervoor, dan eenmaal in de zoveel tijd om van die pest af te zijn, dan wanhopig op zoek in de sprong, de spreidhoek of de knie-elleboogligging. En wat dan nog?... dan begonnen de broeiende eeuwen van zwijgen, mokken, verwijten, zuigen, negeren, treiteren tot aan de uitbarstingen en verzoeningen die de spreid- en de spronghoudingen gaan vervangen. Verval... ruïnes... moeheid... Soms wordt men onverwacht op het kruintje gekust... men schaft zich een glimlach aan... soms wat bloemen... doodsgedachten...

Hij maakte zijn veters los omdat hij dikke voeten had en wriemelde met de tenen.

'We moeten maar niet te hard spreken,' vond hij.

Ze zetten zich aan het kleine tafeltje, een keukentafeltje met glimmend blad en diepe glans. 'Dit komt nooit voor,' dacht hij, 'opletten maar.'

'Als we slaperig worden,' zei het meisje, ze draaide het gezicht naar het bed toe en zweeg. Een warm en veilig gevoel kroop in hem omhoog. Omdat hij zo stil was bood ze hem een naakte ronde schouder, als troost. De schouder glansde in het beetje licht en hij vroeg zich af of die oude dat ook gezien kon hebben in zijn droom.

Om hen heen waren de geluiden van het huis, vrij in de schemer hangende tekens die hij niet thuis kon brengen. Eindelijk wist hij het, de geluiden kwamen van het dak; daar ritselde het, daar krabbelde het, hij kon de vingers goed volgen, zien haast. Er klonk nu ook geklop, geschuif van dakpannen.

Hij glimlachte geruststellend. 'Dat kan toch niet,' vond hij, naar de hand kijkend die zich langs de pannen en door het latwerk naar binnen wrong, maar hij zag hem grijpen en zoeken met buigzame, speurende vingers die glommen aan de toppen. De vingers wezen in alle richtingen, strekten zich en bogen dan weer op de meest onverwachte momenten, raadselachtig maar vastbesloten. Zijn arm legde hij bescherming zoekend om haar heen, de gladde warme huid van haar schouder onder de palm van zijn hand. In de buurt van zijn maag voelde hij de angst, een niet door te slikken knoedel alsof hij die hand had opgeslokt. Rilling na rilling liep over zijn rug, maar hij had de moed niet om haar te vragen of zij ook zag wat hij zag, uit angst dat het niet waar zou zijn.

'Je bent moe,' zei hij, 'je moet naar bed, ik blijf hier tot je erin ligt, knieën opgetrokken, hoofd onder de dekens.'

Ze kleedde zich gehoorzaam uit, even knieheffend, even armzwaaiend en een gebloemd wezen stapte in de koffer, rillend en klappertandend van de kou. Hij voelde het dek, warm genoeg en hij streelde het puntje van haar hoofd dat nog boven de dekens uitstak. Als hij haar hier eens onteerde in de buitenste duisternis, haar opeens met de kracht van het oergevoel uit het bed sleurde en tegen zich aanklemde, zijn hand op haar mond voor de hoge giergeluiden. Ogen blauw en dierlijk glimmend in het donker, veel getrappel, dekens op de grond, even later eruit getrapt door iedereen, de kou weer in, zijn gulp nog dichtknopend, gejoel onder de lamp van de voordeur, maar zijn zaad zou in de aarde dalen gehuld in het lieve wicht. Een deel van zichzelf zou verborgen zijn, aan de wereld onttrokken, zand er over, steen erop und nichts soll uns scheiden von der Liebe Gottes.

Hij streelde een stukje wang, zou ze dood gaan, een lente zonder zomer? Dat oude orakel had het gezegd, Ferwerda had het gehoord en niet tegengesproken. Misschien zat hij hier wel in de droom van die oude.

Hij boog zich voorover, over dat merkwaardig onbereikbare wezen. Ze ademde rustig, was al warm, dat kon blijkbaar nog met al verschalend bloed. Voorzichtig stond hij op en liep naar de deur. De knop knarste maar alles bleef stil. In de gang schrompelden God, hemel en alle engelen ineen tot een paar dikke Indische ballonbenen op ooghoogte. Het was de muizenvoedster bij een nachtpitje en ze stond op een trapje. Ze keek verschrikt naar beneden, hij keek naar boven zonder uitdrukking, waarom ook? Hij zou de moeilijkheden niet gaan oplossen. Hij vroeg niet: 'Wat doet u daar op dat trapje, op dat vlierinkje?' Hij hield zijn mond dicht en was boven alles uitgestegen, licht ironische trek om de mond en in de hoop dat dit nog te zien zou zijn bij dat uiterst zwakke pitje.

Daar daalde ze de trappen af, een heel voorzichtige kruisafneming. Hoe zou dat toch gegaan zijn toen? Al die eerbied maakt maar onhandig, het heilige heeft het moeilijk, het krukt altijd struikelend langs de straten. Daar waren natuurlijk spijkers geweest die niet los wilden laten en laddertjes waarvan de sporten weer wél loslieten, alles zakte daar zwetend in elkaar. Als het woord vlees wilde worden dan moest het woord ook maar weten wat ervan kwam.

'Ik ben Vogelaar,' zei hij ten slotte.

'Ik ben mevrouw Ferwerda,' antwoordde ze alsof ze hem verbeterde. Om zo te zien bleek ze niet geschokt door het laddertje, in háár hoofd lagen de dingen logisch: zolder, muizen, ladder, kaantjes, Ma.

'Ach,' zei hij, 'van die goeie ouwe Ferwerda?' en nu liep alles van een leien dakje, dat was te verwachten. Ze zou zeggen goeie ouwe...? Die sproetige vuilpoets, die hijger achter bolle, zwangere buikjes? Een luie zweter is het, zonder een greintje fatsoen. En ze zei dat ook allemaal min of meer en met veel rollende r-klanken. Hij stond er begrijpend bij te knikken, ook dat was onvermijdelijk, het kleine verraad was ingebouwd in alle dingen. Ten slotte ging ze hem voor, die begrijpende man die het muizenvoeren nu eenmaal had gemerkt, naar haar kamer. Zomaar een kamer, of haar kamer, wist hij veel, een pest was alles te willen begrijpen, daar was al veel gewonnen wanneer er maar eens goed niet werd begrepen, maar gekeken en geluisterd.

'Goeden avond,' zei hij beleefd toen hij binnentrad, altijd veilig, maar zoals zo vaak was ook hier beleefdheid verspilde moeite. Een oude heer, en waarom ook niet, zat in de kamer die sterk naar sinaasappelen rook. Hij zat aan de kant in een rieten stoel, maar omdat hij de enige was daar in die kamer zat hij er om zo te zeggen toch midden in. Een dement manneke, een salondebiel, want onder het toegeeflijk en zoetjes glanzende gezicht klopte alles: dasspeld, vest zonder vlekken, horlogeketting en vouwen in de broek. Op zijn schoot lag een breiwerkje. Een stokoude baby met glimlach, al weer half in slaap, a baby asleep after pain, maar ook reeds een en al goedmoedigheid voor de volgende stoornis van zijn dutje. Vijf minuten alleen dat was een eeuwigheid aan slaap en alles sjokt dan door het oude hoofd, en bij God, zo'n oud hoofd heeft het dan moeilijk, een oud hoofd is altijd overbelast, altijd. Wat wil men, even met rust gelaten na het eten, het wandelen of op de plee of men staat als kleuter op het kantoor of op de fabriek, of als oude sok voor de kleuterklas en is de liedjes vergeten. En niemand blijkt echt dood, alles huppelt maar in en uit het graf of het niks is.

Vogelaar schudde de oude hartelijk de hand, een slaapwarme en droge hand, betreurde het dat hij geen sigaren bij zich had en zocht een plaatsje om te gaan zitten.

'Komt u eens kijken?' vroeg de oude. Dat was zo, maar er viel geen stilte daar de oude voortdurend een smikkelend geluid maakte. Reeksen pijnlijke en verlekkerde grimasjes voltrokken zich om de oude bruine mond waarin het kunstgebit nu en dan wit schitterde in een ontzettende glimlach. Op de tafeltjes stonden nog borden met etensresten; mogelijk at men niet gemeenschappelijk om dat steeds in hoorbare beweging gehouden en zenuwslopende gebit, maar ook hier was de haas gegeten.

De kamer was rommelig, er stonden veel stoelen, van de zolder bungelden wat zilveren sterren, op de grond zwierven wat takken dennegroen en rode linten. Ook achter de schilderijen en foto's was kerstgroen gestopt, haastig en slordig. Vogelaar hoorde in gedachten nog de kreet 'Maria...,' uit de donkere ruimte van het huis met overal afgekloven botten gaf dat even een vreemd beeld, iets van een boerenbruiloft met religieuze vervoering. Opeens zag hij nu her en der in de kamer stukken ondergoed, waaronder ook een mannenpyjama.

'Cor,' riep mevrouw Ferwerda treurig en zeurderig, 'Cor...' een geluid als van een dreinend kind dat geplaagd werd. Maar Cor zweeg, iedereen zweeg en verbaasde zich met Vogelaar die oogknipperend dacht: 'Cor? Cor?' De oude smikkelde en toen Vogelaar zich lang genoeg verbaasd had ging een deur wijd open.

'Zij is in voorbereiding.'

De spreekster was een klein vrouwtje met een opvallend breed en plat bekken, blond, wat oranjeachtig haar dat in kleine harde krulletjes werd gehouden op een krijtwit hoofdpijngezichtje.

'Waar komt u voor?' vroeg ze vijandig aan Vogelaar.

'Hij komt eens kijken wat?' giechelde de oude omnivoor.

'Ik ga zo weer weg,' stelde Vogelaar gerust.

Het vrouwtje stak een vierkant handje uit, hij omgreep enkele vingers: bolle, bleekroze wat omhoogwippende vingertoppen waaraan kleine gelakte nageltjes, en hij besloot het een klein vies vrouwtje te vinden.

Ze was heel wit dat vrouwtje, ze moest overal wit zijn, maar ze was oud en daarbij opvallend breed van bekken. Ze snuffelde voortdurend speurend in het rond, hij speurde beleefd mee maar kwam niet verder dan de sinaasappelgeur. De deur ging weer open en Ma trad binnen, koninklijk entree in blauwzijden ochtendjapon waaronder ze zich eindelijk en mogelijk opnieuw getalkt, geheel kon ontspannen. Een arm hield ze uitgestrekt, de hand in bevallige stand wijzend naar de vloer in een gebaar dat nog van alles kon gaan betekenen, symmetrische glimlach om verre dingen bij de mondhoeken.

'Dag Ma,' zei Vogelaar bijna verwijtend, 'ik heb Magda maar naar bed gebracht hiernaast, ze zakte haast in elkaar.'

Het witte vrouwtje liep op Ma toe, het brede achterwerk schommelend als een eend, en fluisterde haar iets in het oor, maar nog wel zo hard dat Vogelaar een paar maal het woord impertinent goed kon verstaan. Voor het fluisteren moest ze op de tenen gaan staan en kreeg zodoende witte vierkante kuitjes. Hij stond op en sloeg omstandig een pluisje van zijn broek als inleiding tot een spontaan vertrek.

'Ga toch zitten,' fluisterde mevrouw Ferwerda met scheve mond alsof hij iets zeer oneerbiedigs deed, 'sittenn...'

Vogelaar ging weer zitten. Ma snoof nu ook na de influisteringen, eerst nu werd er goed en diep gesnoven in het huis en op een eerlijke wijze en het zou er ruiken als in alle oude huizen: snufje afwaswater, wat knoflook, tipje oude kaas, een vleugje uit de aardappelkelder, wat wasgoed in de gang en schimmel achter de schilderijen. Ma snoof weer en keek toen vorsend naar het witte wezen dat op haar beurt weer naar Vogelaar staarde. Iets stonk dat was duidelijk, misschien stonk de hele aarde wel, maar niet voor Vogelaar. Dat had iets griezeligs. Diep beneden zuchtte de heer Ferwerda in zijn slaap, zijn groene jagersbuik bewoog even en hij wriemelde tevreden met de tenen in de zwarte sokken, wel ja, Vogelaar zou wel alleen bestaan. Hij kreeg opeens heimwee alsof hij de goede oude strooplikker nooit weer zou zien. De oude in de kamer at braafjes zijn gebit en dutte al weer half. 'Nee, het kan niet doorgaan,' zei Ma vastbesloten, het klonk als een oordeel waar lang over was nagedacht voor het werd geveld. Wat niet doorging was Vogelaar niet duidelijk, maar dát het niet door kon gaan kwam hem op de een of andere wijze begrijpelijk en vertrouwd voor. Ook een tragische beslissing, gaf Ma te verstaan, vorstelijk schrijdend naar de nu zacht snikkende mevrouw Ferwerda die haar echter, schuw uit de ooghoeken blikkend, wel zag aankomen, steeds duidelijker snikkend en kreunend totdat ze de hand voelde op haar hoofd. Vogelaar voelde dat die hand dat bij het binnenkomen al van plan was geweest. Een bijbels tafereeltje in... die bijbelaars speelden hun rol trouwens ook voortdurend in ondergoed, in de romantiek van religieuze pyjama's die omhoog kringelden of omlaag tuimelden als rook. Hier konden ze nog van leren. Op de tafel naast de beeldengroep stond een groen plastic schaaltje met een restje kip nog van buiten de feestdag: van het vlees waren de randen zwart, daar binnen was het diep oranje geworden. Ernaast, maar op de een of andere wijze er hecht mee verbonden, lag een dun wit boekje waarop met stijve dunne letters 'engelenspel', op het midden van het omslag prijkte een gouden ster. Met walging staarde hij naar dat stilleven terwijl hij luisterde naar de troostwoorden over mevrouw Ferwerda die Dee heette van haar voornaam. Ma had het in een bijna onherkenbare stem over de stank die op de wereld lag, een vieze vuile stank. Begrijpelijk genoeg; om te beginnen was daar het schaaltje met cadavereuze kip en verder waren er dan nog de geuren van de miljoenen zeepbakjes, de rochels op de plavuizen, de pedaalemmers in de ziekenhuizen, de bottenpiramides bij de abattoirs, de miljarden monden met voedselresten, de beerputten in de dorpen, de haarkammen, de verstopte wastafels, de krengen in de rivieren. Ja, een stank kroop over de aarde, draaiend en kringelend bij iedere straathoek, achter wandelaars aan sliertend of omhoog spiralend tot in de neusgaten van den Here.

'Als een slang,' zei Vogelaar het beeld hardop afrondend en hij sloeg zich, ondanks zichzelf, opgewekt op het dijbeen als bij een vraag-en-antwoordspelletje.

Het gemompelde antwoord van de nog steeds gezegende Dee kon hij niet verstaan, maar toen hij eens goed om zich heen keek zag hij opeens veel wantrouwende blikken in zijn richting, verdomd die dachten zeker dat hij daar zat te stinken.

'Ik ruik niks,' zei hij even snuffelend op zijn beurt, maar dat was verdacht, dat voelde hij op hetzelfde moment. Die hand, nog steeds op het roerloze en droef genietende hoofd van mevrouw Ferwerda, hinderde hem, hij voelde de warmte die van de hand uit moest gaan bijna lijflijk op zijn eigen kruin. Het speet hem weer bijzonder dat hij zijn stok kwijt was, deze had aan zijn positie daar in de kamer zeker iets van de slechts passerende wandelaar kunnen toevoegen, maar hij kon zich nu helemaal niet meer herinneren waar hij hem had laten staan. Bij het meisje, dat zo zorgeloos haar laatste tijd versliep?

Plotseling voelde hij zich geïsoleerd en alleen gelaten in de kamer, uitgesloten door samenrottende en snuffelende speelkameraadjes en somber en uitdagend herhaalde hij: 'Nee hoor, ik ruik niks,' en met een scheef lachje, 'ja, sinaasappelen... kan dat?'

'Er zijn mensen die in de waarheid zijn, en er zijn mensen die buiten de waarheid zijn,' sprak het witte wezen met de platte en brede heupen op onheilspellende toon, maar het was niet duidelijk of dat op Vogelaar sloeg, die zich al direct buiten de waarheid plaatste, door het 'zij voert je muizen en ratten, hou je daar rekening mee', dat ze er giftig en snel aan toevoegde. Helemaal gelukkig was zij blijkbaar ook niet met de stand van Ma.

Het hoofd van Dee werd eindelijk losgelaten en Ma deed een stap in de richting van Vogelaar, nog een stap... een vriendelijk gezicht waarempel maar wat gezwollen en met ogen die steeds wilden gaan staren.

'De wereld riekt... een wolk is er van kleine zwarte deeltjes, in de kranten wordt er over geschreven. Die dringt de longen in, miljoenen zwarte puntjes zwavel in miljoenen cellen. Dan komt de kanker, dat is het zaad van de Boze, overal is stank.' Daarna nam ze een ingewikkelde pose aan die Vogelaar niet begreep maar zich wel vagelijk herinnerde.

'Maar wij zitten midden in de bossen,' wierp hij tegen, 'die miljoenen zwarte stippen blijven hier aan miljoenen boombladeren hangen.'

'Maar er zijn nu geen boombladeren,' riep het witte vrouwtje triomfantelijk, 'en zoëven was die stank er nog niet...'

'Dat is zo,' gaf Vogelaar toe die aan de kale bomen buiten dacht als aan heel vreemde dingen. Hij had het niet op die vriendinnen van Ma, iedere vrouw tussen vriendinnen was een gruwelijke onthulling, al was Ma hier toch wel aantrekkelijk gebleven; ze was slonziger, rotter, een beetje beurs van vlees, bereikbaarder en veelbelovender nog dan in haar kamer. Op de een of andere manier kon hier meer, alsof hij achterover op zijn bed lag en aan haar dacht; aan het weelderige Rubensvlees, het vlees van zonnige museumzalen op zondagmiddag. De stofjes van de Boze dansten in de zonnestralen, het hout van de geboende vloer kraakte zacht, de schoenen van de suppoosten hadden rustgevend omkrullende neuzen, glimmend gepoetst, en de koperen knopen van de zwarte pakken glommen in het licht. Op de vensterbanken lagen de verkreukelde entreekaartjes en in de geluidloze onbereikbare ruimten van de schilderijen wolkten de vrouwen van de zondagmiddag, de tantes met de ouderwetse hoofddoeken die zich de Christus van het kruis stalen en Hem er tussen gespierde ooms vol metalen banden, in alle landschappen weer aan vast nagelden. Heiligen lagen daar tussen de bloemen, knielden en stierven daar in alle standen met geknakte ledematen en heilige, verwonde buiken, paradijsvogels en vriendelijke oude heren keken toe. Soms, als het warm was en stil, schoof alles een beetje in en over elkaar in die verlokkende ruimte onder dat vreemde, nooit ontbrekende licht. Ach God... ach lieve Jezus... ach ome Piet... die zonnige middagen, die verre trage feesten achter de lijsten, in het hoofd en boven het karpet in de zon.

'Weet je nog wel Ma,' zei hij warm, 'vroeger als Puck niet thuis was, dan lag ik uren op de divan en jij zat maar te breien, jumpers, kousen en ik lag maar. Ik herinner me nog dat ik vroeg: "Geloof jij nou echt in God Ma?" en jij zei: "Jongen ik ben altijd bereid, als Vader roept, moedertje komt."'

'Daarom stinkt het zo,' riep het witte vrouwtje verbolgen en ze trok haar peignoir strak om zich heen als om zich af te schermen.

'Als een vieze open WC,' zei Mevrouw Ferwerda met snel geheven handen van de schrik zichzelf opeens alleen te horen praten.

Goede Ma stak plechtig een hand in de lucht: volle onderarm met stevig gevormde pols. Duizenden Jezussen hadden dat van haar afgekeken: op de berg, in en langs de korenvelden. Zij had duidelijk de mogelijkheid geopperd van een stank die onafhankelijk was van Vogelaar, maar het witte wezen begon weer onverzoenlijk te snuiven: 'De onzichtbare geest die achter de slang stond en leugens over God vertelde is nog niet gestorven, nóg niet...'

Vogelaar voelde zich onbehaaglijk onder haar prikkende blik, slang? O ja, stom om dat zo hardop te zeggen. Hij schuifelde met de voeten en dacht aan de verre droge bladeren en takken waar hij nog maar zo kort tevoren doorheen had gelopen.

'De onzichtbare geest die achter de slang stond te liegen is nog niet gestorven,' klonk het weer.

'Onzichtbaar,' grijnsde Vogelaar haar pesterig toe terwijl hij zijn dijbeen met wulpse gebaren bestreelde en beklopte. Hij dacht er over na hoe hij er eigenlijk toe gekomen was die slang te noemen.

'Zou er nog thee zijn Rachel?' vroeg de oude heer even oogknipperend, daarna zakte hij weer in zijn doezel terug.

Ma liet haar hand weer zakken. 'Het zal hem treffen Chel,' zei ze sussend maar met duidelijk ongeduld, 'het zal hem treffen.'

'Veel beloven en weinig geven...' zei Chel gesmoord, ze deed een paar kantelende pasjes in de richting van de keuken en leek te aarzelen tussen thee zetten of in tranen uitbarsten.

'Ja hoor eens,' zei Ma met stemverheffing, 'je weet wanneer het Zaad van Gods vrouw tot handelen overgaat.'

Vogelaar keek haar verbaasd aan maar Ma ontweek zijn blik. 'Daar snap ik geen flikker van,' zei hij grof.

'Ik versta geen woord,' riep Chel, een klein wit handje achter het oor.

'O nee?' riep Ma terug, 'o nee?' ze koos verder de schooljuffrouwentoon, 'o nee?'

Die andere lui het huis uit, dacht Vogelaar zweterig, ik en Ma in de zondagmiddag, vol rust en sfeer, vol teksten en lekkere thee. Lieve God waarom snelt U niet te hulp. 'Nee echt niet,' antwoordde hij milder, en aarzelend alsof hij heel diep nadacht voegde hij eraan toe: 'Er staat geschreven, de vaderen hebben wijndruiven gegeven, de tanden der kinderen zijn stroef geworden. Vroeger stond er "slee", dat was een veel mooier woord.'

Er viel een diepe stilte, Ezechiël had zijn knuppel diep in Genesis geslagen en Ma worstelde om samenhang, een inspanningsrimpel tussen de wenkbrauwen.

Zij fronste, knipperde met de ogen en prikte langzaam met de wijsvinger in de lucht voor haar borst: 'Ik zal vijandschap zetten tussen u en de vrouw, tussen uw zaad en haar zaad...'

'Mooie volle woorden,' dacht Vogelaar, 'vrouw, zaad...' en hij knikte op de maat van haar stem.

'...en dat zaad... ja zo is het, zo zie ik het...'

'Wordt het je gegeven Corr?' riep mevrouw Ferwerda bij de keukendeur, mogelijk was zij nu op haar beurt op weg naar de thee die de oude alweer vergeten was.

'Dat zaad zal hem de kop vermorzelen,' riep Ma opgelucht als bij een som die onverwachts nog op nul uitkomt, 'en dat zaad is háár zaad, het zaad van Gods vrouw.'

'Wanneer?' vroeg Chel praktisch en zo haastig alsof ze vreesde dat iemand haar voor zou zijn.

'Wanneer?' herhaalde Ma verbaasd, 'wanneer?... het zál gebeuren, laat dat genoeg zijn.' Ze beende met grote mannelijke stappen de kamer op en neer, met moeite nog wat waardigheid in haar houding vlechtend. 'De vijand der mensen wordt in de toekomst gedood, daar blijft geen stuk meer van heel, dat beloof ik je... daar blijft geen stuk... en stank zal er ook niet meer zijn.'

'Maar miljoenen zullen nog moeten sterven in allerlei luchtjes,' zei Vogelaar innig naar Chel knikkend, 'miljoenen zijn er overigens al zo gestorven, hoeveel dode geslachten liggen er al in het graf, als je het mij vraagt komt die stank daar vandaan.'

Ma liep mompelend en hoofdschuddend naar de keuken, de deur liet zij openstaan en iedereen zag haar bladeren in de bijbel die daar tussen de opgestapelde afwas lag bij het groene, bevlekte gasstel.

Chel was haar voor een deel nagelopen. 'Wat zegt hij Cor, wat zegt die meneer tegen jou?' Maar Ma gaf geen antwoord, haar peignoir zakte open en omvatte het boek der boeken als een tent.

'Die vrouwen moeten weg,' dacht Vogelaar, 'er was toch wel ergens een straathoek te vinden waar ze gelukkig konden zijn. Wat deed hij eigenlijk in die kamer, de vrouwen hadden er flink de pest over in dat hij daar zat, de witte Rachel dat hij was gekomen en mevrouw Ferwerda omdat hij maar bleef. Waren er veel starende, daadloze mannen in de bijbel op te snorren, randmannen die maar zaten en keken, mogelijk alleen een beetje stonken?'

'God heeft ook aan díé vraag gedacht,' riep Ma vanuit de keuken.

Vogelaar grijnsde scheef en zag haar komen. 'En... heeft Ie ook het antwoord,' riep hij terug.

De borsten waren half bloot en vergeten, stevig hard tekstvlees, ze zwiepten niet en mochten er zijn. Het woord vlees wilde hem maar moeilijk uit het hoofd, dat was zo bij God: zaad, vlees, vrouw, schoot, ontvangenis... woorden die maar bleven kleven als de stroop van Ferwerda.

Hij sloot de ogen, herinnerde zich dat hij doodmoe was en luisterde en keek hoe hij daar zat; gefluister klonk ergens links boven in zijn hoofd, de stoel drukte onder zijn achterste en kraakte overal om hem heen bij iedere ademhaling, het witroze ondergoed van Ma zweefde recht voor zijn ogen.

'God zei, de *oorspronkelijke* slang... dat is de Satan de duivel... en niet alleen zal het zaad van Gods vrouw hem de kop vermorzelen, maar Hij zei ook – en gij zult het de hiel vermorzelen.'

'Maar de kop is toch al vermorzeld,' wierp Vogelaar tegen terwijl hij haar met grote begeerte bekeek, 'mijn duive, mijn volmaakte...' Waarom zaten ze niet in het Hooglied en nog maar steeds in Genesis met de loodzware last der vele nog wachtende bladen onder de rechterhand... te veel moest er nog gebeuren. Genesis maakt moe en hij was al doodmoe. 'Wie leeft er nou met een vermorzelde kop, een vermorzelde kop is een vermorzelde kop, oftewel een hiel die er niks meer toe doet.'

'Nee, nee,' zei Chel met slepende stem alsof ze een eindeloos geduld betrachtte, 'de slang vermorzelt éérst het zaad van Gods vrouw in de hiel...'

'Hou jij toch eens je bek,' schreeuwde Ma opeens krijtwit, 'ik kan het woord zaad uit jouw mond niet horen.' Ze haalde diep adem met witte neusvleugels, 'eerst vermorzelt de slang het zaad van Gods Zoon... van Gods vrouw in de hiel... en val me niet steeds in de rede... verwarring is hier een zaak, een zaak van de duivel... Nou, en wat betekent die?'

'Wat?' vroeg Vogelaar, hij was geschrokken en ontheutst door de uitval van Ma, maar hij voelde ook dat er opeens veel meer mogelijk was geworden.

'Die vermorzeling van de hiel van het zaad of van Gods Zoon?'

'Ja welke vermorzeling komt nou eerst?' riep Vogelaar met gespreide armen, 'hoe kan nou het vermorzelde zaad later de kop van de slang vermorzelen... morzelen... morzelen... goddome, het lijkt wel of die zinnen vol mosselen zitten.'

Hij giechelde even maar streek de lach snel van zijn gezicht.

'In de hiel...' begon Chel met een porseleinen gezichtje, maar Ma blafte haar weg: 'Het betekent de dood.'

'De dood Corr?' riep mevrouw Ferwerda bij de keukendeur, 'maar hoe kan het zaad wanneer het... eh...' ze keek hulp zoekend in het rond.

'Wanneer het eerst door de beet van de slang wordt gedood later de kop van de slang vermorremorzelen,' vulde Vogelaar aan.

'Alleen dán wanneer hij uit de doden is opgewekt,' oreerde Ma die schoner werd dan ooit.

'Lazarus was zo'n man,' dacht Vogelaar, 'een Vogelaartje in de aanvang der tijden, een stinkende kijker, alles voltrekt zich maar aan dat soort mannen.'

'Er was eens een vonnis in den hof van Eden...' zong Chelleke beverig en diep geschokt, 'er was...'

'Het vermorzelen van de hiel van het zaad van Gods vrouw geschiedde twee duizend jaar geleden. Het zaad, het beloofde zaad was Gods Zoon.'

'Is er nog thee?' vroeg de oude wakker schrikkend en hij klapperde heftig met zijn gebit.

'Ik geloof,' zei Vogelaar peinzend, 'dat die tanden uitdrogen.' Hij wachtte even en voegde er toen plechtig aan toe: 'Ze zijn slee geworden.'

Misschien zou Ma wel thee gaan zetten, dat was een kans, een keuken maakte altijd veel mogelijk. Hij kon bij voorbeeld achter haar gaan staan, een hand op haar warme schouder leggen en dan luisteren wie het eerste woord zei.

'Er waren in die tijd toch geen menselijke zonen van God op aarde,' zei Chel met een gezicht vol huilerige plooien.

'Jawel, Adam,' knikte Vogelaar en tot mevrouw Ferwerda: 'Kunt u het volgen?' Hij keek weer naar Ma maar sprak nog steeds tegen mevrouw Ferwerda: 'Zet nou toch eens thee mens, we worden hier vermorzeld door Genesis, dat maakt dorstig, moe en dorstig.'

'Wat zegt die meneer,' vroeg Chel het voorhoofd fronsend van de inspanning.

Ma schraapte de keel, 'dan was het zaad de Zoon van God...' zei ze haar woorden met moeilijk spellende gebaren onderstrepend. 'Hij was van de hemel afkomstig, Zijn moeder die Hem had voortgebracht was eveneens hemels, zij was Gods vrouw.' Haar toon klonk bijna verontschuldigend.

'Ah... die wolk,' prevelde Vogelaar. Hij zweeg, iedereen zweeg nu. In de kamer was het koud. Hij dacht aan Maria in het bos, aan de etalagepoppehanden, hard en koud met glanzend geverfde nageltjes. Alles koud en stil, alles smeekte om beweging, om rood en warm bloed dat kloppen en stromen wilde. Er was geen kind geweest, misschien was het er nu wel, was de oude Flipsen naar het dorp gerend, nog wit van woede om er schande van te spreken dat hij een landloper uit de stal had moeten jagen, of er misschien in... Misschien was hij die stal in zijn zenuwen wel in gerend, opeens floep... door het vlies van het licht en zat hij hier bij de vrouwen waar moedeloosheid heerste en verwarring.

Hij snoof zachtjes, waarachtig nu rook hij ook wat. Hij snoof nog eens en huiverde. Met kleine rukjes schoof hij zijn stoel in de richting van Ma die ook was gaan zitten, zich had neergelaten in een rotan meubel, een Indisch kavalje waarvan de leuning in een grote cirkel om haar hoofd heen stond. De oude dutte en beneden hem sliep de heer Ferwerda. Het was ook beter te slapen dan te waken in nachten zoals deze. Hij rook nu duidelijk de geur van Ma, ze zat daar en staarde wat verwezen voor zich uit met grote, iets te blauwe ogen. Nu en dan vergat ze haar ogen en deze draaiden dan langzaam omhoog. Wist hij maar iets te zeggen dat de kamer schoonveegde, hem weer naast haar op de divan bracht, waar hij langzaam in haar kon ontbinden, afbrokkelen, weg kon vloeien in een vreemde wellust van het zachte vergaan.

Ma ademde zwaar maar zei niets, uit haar ogen keek nu een heel andere Ma, de Cor der vrouwen, op de tenen en over de rand turend naar Vogelaar.

'Laten we bidden.' Het schalde door de kamer en zo plotseling flapte het er uit dat Vogelaar van schrik even uit zijn stoel wipte.

'Laat ons bidden... bidden dat – de ogen dwaalden even langs de zoldering – dat... het stenen hart der wereld gebroken moge worden.'

'En dat in godsnaam,' koerde Chel die ogenblikkelijk devoot ineen strengelde in een stoel. In haar schoot glinsterden de nageltjes. Ook mevrouw Ferwerda streek neer met gebogen hoofd, een enorme bos zwart haar boven haar kromme schouders waarin een roodachtige benen spang.

Ma vulde de kamer tot in alle hoeken met haar aanhef, haar stem rolde en golfde als de zee: 'onze Vader, Koning, Paus en God die in de hemelen zijt...' maar daarna deed ze de stem dalen tot een monotoon gemurmel en zakte vertrouwelijk opzij naar Vogelaar, 'uw naam worde geheiligd wel eens aan een pluchen tafel gezeten op een zonnige namiddag de hele wereld stil en leeg overal stofjes in het zonlicht alles staat opeens vol dingen en alle dingen zijn vol, je dreigt te stikken *o grote Vader*, de tijd stroomt door het achterhoofd naar binnen door de ogen kabbelt ze weer naar buiten, ik heb niemand ik heb helemaal niemand Puck is dood iemand sterft en laat allemaal lege middagen achter *o Schepper* de tijd is vlees geworden de ochtenden en de avonden dat gaat nog wel dat is te harden maar die middagen er speelt een harmonika in de verte als deeg hangt het zonlicht in de straten God kreunde ik toen geef me ruimte ik stik in alles zal ik mij helemaal uitkleden en de straat op rennen zal ik een mes in mijn kuit steken vitriool drinken zal ik alle dingen aanraken en ze bij de naam noemen tot ik bekaf weer eens een middagdutje kan doen alleen zon en stilte... dan daalt er een slangetje uit de zon en kruipt onder de rokken van mij lieve oude vrouw ik bad of liever ik begon te bidden steeds maar opnieuw ik bad een fijne man bij elkaar *o Bestuurder van alle dingen* een fijne Jezus in een korenveld een man die alles kon en dat hielp wel even toen ontmoette ik haar ons Chelleke klein altijd maagd die daar bleek en met de pest in o ik ken haar voor zich uit zit te mokken tussen al die stukken ondergoed ik ontmoette haar bij de kapper en dat is geen wonder met dat haar ik werd getroffen door haar uiterlijk een opvallend wit en jong gezicht met allemaal gouden krulletjes er bovenop dat is het dacht ik die vrouw heeft mana en ik voelde mij weer als kind een tijd waarin de dingen nog gebeuren in het eerste licht ik vroeg haar of ik haar portret mocht schilderen mooi excuus ik schilder slecht maar iedereen heeft een slechte smaak dus dat geeft niet zo ontstond een vriendschap een intieme vriendschap we leenden elkaars tasjes en gebruikten elkaars haarkammen ze kwam bij mij inwonen en dat viel niet mee om haar los te weken van het adres waar ze toen woonde maar ik herkende in haar hospita een kwade demon en opgelost was de hele zaak veel ruzies natuurlijk die krulletjes dansten alsof ze leefden dat had me toen moeten waarschuwen maar hoe is een mens God was met mij dacht ik toen en Chelleke ging met mij mee de deuren dreunden *in den beginne waart Gij o Hemelse Vader en Weldoener...*'

Vogelaar speurde van Ma naar Chel die schichtig en argwanend in het rond keek. 'Amen Cor?... amen?...'

Vogelaar schoof plezierig wat dichter naar Ma toe.

'... in het begin was het wel leuk alles begon weer te bewegen het ontbijt de nachten de zon de maan de weekends de traploper maar ze had gewoonten o God ze had gewoonten en daarbij was ze doof zodat ik alles twee maal moest gaan zeggen dat werd dan mijn gewoonte alles twee keer steeds meer afschuw mengde ik door mijn liefde en genegenheid van alles maakte zij een gewoonte van alles wanneer ze naar het toilet ging liet ze eerst wat vliegen daar kon je donder op zeggen ze hoort het zelf niet dat is zo maar altijd... dat is me ook wat *o Weldoener o Oeraanvankelijk Wezen...*'

'Amen Cor?' riep Chel bijna huilend.

'Opdat Uw daden van geen kracht zullen zijn ontbloot,' riep Ma bestraffend het hoofd heffend en Chel schoof weer in elkaar met schuivende en krampende voetjes. Ma zweeg en staarde naar haar grote handen.

Vogelaar onderdrukte met stijve kaken een geeuwtje. 'Zeker,' zei hij, 'en verder?'

'Ik schiep een leer,' fluisterde Ma afwezig, 'ik schiep een leer ja... een leer... ik ging achter mijn tong zitten en keek wat er gebeurde, ieder woord vulde een lege ruimte en Chel zoog alles op, vrat alles op voor zoete koek.'

Vogelaar bedwong weer een geeuwtje, Ma had een oude mond gekregen, ogen had ze haast niet meer. Lelijk was ze niet maar wel droog van vel, haar borsten hadden overal rimpeltjes en op vele plaatsen glansde haar huid.

'Ja, zo had ik een vriendin,' zei Ma even zuchtend en kuchend om de stem weer helder te maken, 'een klein canaille, ik vertelde haar een hoop met veel vijven en zessen, het diepzinnigste waarover ik maar kon beschikken want ik wilde voor geen goud dat ze weer weg zou gaan.'

'Wat kan dat geweest zijn,' fluisterde Vogelaar die langzaam een erectie kreeg. Dat kwam door dat fluisteren, de vertrouwelijkheid.

'Een groen boekdeeltje met gouden letters en op de bladzijden allemaal bruine vochtpuntjes. Ik snapte er niet veel van als ik erin las, maar als ik er over vertelde wel en ik vertelde haar van de oercel, het splitsen, het grote zoeken, het onweerstaanbaar aangetrokken zijn, de tweelingzielen van het paradijs en waar iets niet klopte daar paste de Satan wel in en dat was wonderlijk. Daar was ook opeens God die over de aarde wandelde als Krisjnoe en Boeddha en Mozes en Jezus en Zoroaster en Mohammed en vele die ik vergeten ben en dan was er natuurlijk ook de vrouwelijke duaal van dat alles en zo was ik Maria Magdalena de vrouw van God, de bruid van God. Een hoop dingen begreep ik zelf niet, snap ik nog niet, maar ik was gelukkig. Vind jij dat gek? Vind jij mij een oude seniele vrouw?'

'Neen ik,' zei Vogelaar.

'Waar Puck zich voor zou moeten schamen?'

'Neen wij,' zei Vogelaar.

'Amen? amen Cor toe...' weende Chel nu voluit.

'Amen is het,' zei Ma. Ze stond op. 'Ik was soms

gelukkig,' daarna liep ze met vlugge stappen door de kamer en verdween. Even later was ze weer terug met een verschoten blauw schoolschrift in de ene hand, een bril in de andere.

'Ik geef u een parabel,' zei ze en glimlachte droevig in het niets. Ze was wat vlekkerig in het gezicht nu en ze sprak met een dikke kropstem, veel te laag. De opengeslagen bladen trilden in haar handen, maar glansden en vingen veel licht.

'Het is een liedeke,' zei Ma die de bril opzette, 'eigenlijk meer een sproke of mediamiek liefdeslied.'

Ze schraapte de keel: 'Ahum... Tussen wolkjes droomverloren, In een rood doorschenen blauw, Zweven waterwijze woorden, Waar geen mens van dromen zou, Ving het kind niet aan te dwalen, Met een lichtwit kleedje aan, Wilde 't ver de zon gaan halen? In 't hoge huis van zon en maan? Ach zelfs om het diepst verlangen, Rijst het water van de nacht, 't Is moegeschreid en vreesbevangen, Door wolkjes weer naar huis gebracht.'

'Prachtig,' zei Vogelaar die de eerste was die sprak, 'heel mooi... heel indringend ook, vooral dat hoge huis van zon en maan...'

'Een parabel,' zuchtte Chel die zich tegen Ma aanvlijde, 'de ogen van Cham over de daken.'

Vogelaar zag het tafereel met lede ogen aan, de geïsoleerde fluisteringen waren hem liever. Hij deed een stap naar voren en trachtte te lezen wat op het etiket van het schrift stond. Het was niet te ontcijferen, de letters stonden op de kop, Puck? mogelijk gedichten, en dan in grote krulletters.

Ma keek met een geplooid, uitgezakt gezicht in het trillende schrift: 'Ook ik dacht eens God is liefde... vergeef mij, maar ik dacht hem ook als een oude sul, impotent als mijn man zaliger die ik voor het gebruik maar de reïncarnatie van Johannes maakte.' Ze lachte even met scheve mond.

'Pa Schröder, hoe dat zo?' vroeg Vogelaar die haar

gezicht achterdochtig bekeek.

Ma glimlachte en dacht na, de grote handen streelden en betastten het schrift. 'Jezus' woorden aan het kruis, mooie prachtige woorden... Toen mijn man nog leefde zag ik opeens dat men de woorden "vrouw zie uw zoon, zoon zie uw moeder" steeds verkeerd heeft uitgelegd. Jezus bedoelde met die vrouw niet zijn moeder, maar Maria Magdalena. Johannes nam haar toen in huis "als zijn moeder" zoals er geschreven staat, dus zonder ook maar iets van seksualiteit. En zo was mijn man ook, ach... ach... tien jaar ouder dan ik, impotent en met een kunstgebit tot in zijn nek. Nu is hij dood.'

'Maria van Magdala? de zondares Corr?' vroeg mevrouw Ferwerda die opeens uit de schaduw kwam.

'Dat wijs ik af,' riep Ma, 'die tekst is door de Satan slim ingelast. Johannes zelf heeft daar nooit iets over gezegd, niets. Wanneer ik mijn oude man had verlaten om mijn duaal te volgen, dan was dat evenmin zonde geweest als wat Maria Magdalena deed die haar man verliet om Jezus te volgen want die herkende zij als haar tweelingziel.' Ze greep om zich heen en zakte toen massaal en moe in een stoel.

'Hij is dood,' zei ze schuin omhoog kijkend naar Vogelaar. Ze liet het schrift op de grond vallen en strekte in een breed en geweldig gebaar de armen naar hem uit.

Vogelaar knipperde met de ogen maar hier werd Ma onderbroken door Chel die hen beiden met heen en weer schietende ogen had gadegeslagen gedurende het gesprek en Ma nu onder vreemde teksten en gebaren ineen zag zijgen. Ze dacht even na met rollende ogen, vatte haar achterstand, onbegrip en wantrouwen samen in een plotseling bol en sterk vooruitstekend buikje en stortte daarna op de vloer dicht tegen de stoelpoten waarboven Ma troonde, die met plompe, onhandige bewegingen haar benen wegtrok.

Het ontging Vogelaar niet dat Chel vanuit de trekkebekkerij en de schokkende, rollende bewegingen waarin ze zich had gestort, nu en dan wanhopige blikken naar hem uitzond. Maar wat daarvan de bedoeling ook geweest mocht zijn, ze gingen snel onder in grimassen die zich voortplantten over het hele lichaam. De ogen draaiden griezelig langzaam en met veel wit, de krulletjes sidderden en dansten en vielen uiteen tot pluizige, oranjegele donsjes, de handjes veegden de poeder en het lippenrood in strepen over het clowneske gezicht en in ontzetting hierover vouwde de mond alle klinkers van het alfabet.

Afgezien van wat gesteun en gehijg was het een geluidloze en snelle aftakeling.

'Zal ik wat water halen?' vroeg hij aan Ma die met ontstemde blik op Chel neerkeek. Hij hoorde de meewarigheid in zijn stem en op hetzelfde ogenblik voelde hij waarachtig iets van medeleven voor het spartelende witte wezen op de grond. Een aanval... een zeer intiem binnenskamers gebeuren; damestasjes werden omgekeerd, boudoirs geopend, ondergoed getoond. Eerst nu hoorde hij bij de vrouwen, eerst nú was hij ín de kamer. 'Zal ik wat water halen?' jubelde hij, maar op hetzelfde moment kromp hij ineen door het in volle hevigheid losbrekende geblaf en gegier. Een aanval blijft een aanval. De mond wist blijkbaar van nog meer mogelijkheden; ze kon jammeren als een oude vrouw, huilen als een wolf, brullen als een dronken zeeman. De geluiden moesten tot diep in Ferwerda's slaap te horen zijn, tot ver in de bossen zelfs en het duurde even voor het tot de ontzette Vogelaar doordrong dat de oergeluiden waren overgegaan in gearticuleerde klanken. Het Beest was in Chel gevaren, dat bleek. Ondanks de bezweringen die een duidelijk norse Ma met nu slap gespreide armen en snel prevelende lippen over haar uitsprak, had de Boze in Chel zijn zetel. Chel kefte en riep uit de diepte, ze kronkelde over de grond, kroop op handen en voeten langs de tafel en de benen van de demente slaper die in onrustige dromen verzonken met de knooplaarsjes heen en weer schoof.

De bezweringen hielpen, al was Ma er niet voor uit de stoel gekomen, de gelaatstrekken op het tapijt werden menselijker en eerst nu voelde Vogelaar zich van schaamte en ontzetting zwak in de blaas worden. Nog krijsten de krulletjes het een enkele maal uit als het allemaal weer te veel werd, maar tussen deze pieken vlijde het witte vrouwtje zich aanvallig tegen het tapijt, koerend, koket strelend en huppend met de buik in onbekende maar grote verrukkingen. Alles onder de prevelende maar machtige taal van Ma waarvan Chel de diepten en geheimen onthulde middels een in de toeval blijkbaar opgenomen grote gehoorscherpte.

Ma zweeg nu, zat met dikke ronde rug in de stoel gezakt en veegde zich het zweet van het voorhoofd.

'Ik heb hem nooit lief gehad,' schreide Chel als om haar weer op gang te brengen, 'ik heb hem nooit lief gehad.'

Dat bracht mevrouw Ferwerda op de knieën, een geweldige kam zwart haar opeens verrassend laag bij de grond. 'De valse Eva... de valse...' fluisterde ze, zich verstaanbaar makend in de intervallen, 'ik heb het voelen aankomen, alle de dagen... adoe... adoe.'

'Dee, bemoei jij je er alsjeblieft niet mee,' bitste Ma, 'wie weet hoeveel aanstellerij... ze heeft de pest in omdat het engelenspel niet doorgaat... een zenuwelijer is het. Is dit geen heilig feest...? ik had het kunnen weten... waar heb ik me toch mee ingelaten... waarom heeft God me met haar willen straffen?'

'De liefde Corr, de liefde...' murmelde het van onder de zwarte haardos die knikte en zwaaide als een zwarte ballon. Vogelaar bekeek het zinnetje en vroeg zich af of het ook ergens in paste. Chel kermde en begon weer zachtjes heen en weer te rollen. 'Hoe heb ik het kunnen doen... hoe heb ik het kunnen doen...'

'Hoor je wel Corr,' riep mevrouw Ferwerda nu met

een sterk bewegend huilmondje, 'het is de Satan... heus ik ken haar toch... wij kennen haar toch... die siel, die siel... het is de Satann Corr, de Satann self...'

'Pas jij maar op je woorden,' zei Ma gemelijk, 'we zijn op het oorzakelijk plan, de naam van de Satan heeft bijzondere kracht.'

'De valse Eva is in haar gevaren,' steunde mevrouw Ferwerda, 'toe Corr alsjeblieft, alsjeblieft... jij kent de manieren... jij hebt self gesegd als de Satann eenmaal gebonden is, dan is het voor goed...'

'Zal ik?' vroeg Ma zich naar Vogelaar toedraaiend, 'zal ik?'

'Ja, ja,' riep deze, blij dat er op zijn woord prijs werd gesteld. Was hij ooit meer in de kamer geweest, in de stal was hij, in het schilderij, in de boeken. Bij God, hij hoorde erbij, geen raam, hek of lijst scheidde hem meer van het feest.

'Ja Ma...' en hij wreef zich kneuterig de handen wat hem toch even met een lichte ergernis aan de slapende Ferwerda deed denken ergens diep onder zijn voeten. Chel kreunde en schokte nu en dan ongeduldig heen en weer. Ma zat stil naar haar te kijken. Dee draaide de lampen uit op een oranje bolletje na in de hoek boven de theetafel waar het licht vonkte en glansde in de kopjes en de lepeltjes. Kon het mooier? 'Dank o Heer,' fluisterde hij, 'wij danken U uit het diepst van mijn hart voor dit feest.'

Hij voelde de hitte van de kachel tegen zijn kuiten stralen en om zijn voeten zag hij de rode gloed. De klok die nu opeens op de schoorsteen stond, tikte zachtjes en rustgevend, Chel huilde op de vloer, heel gedempt om maar niet al te veel te storen, verzaligd maar vormeloos middelpunt aan ieders voeten.

Ma ademde hoorbaar, onder zijn voeten kraakte nu en dan een plank terwijl hij toch doodstil stond. Steeds schever zakte Ma weg in de stoel, de rieten stoel die zachtjes meekreunde met haar ademhaling en een enkele keer met de plank. Grote bleke lichaamsdelen schemerden daar, God mocht weten hoe ze daar zat of hing in die stoel.

Om het ademen van Ma lag de doodstille kamer. Rustgevend, rijzend en dalend snurkte Ma de stilte vol. Het kraken verdween, het tikken van de klok, het wenen van Chel, alles werd opgenomen in het grote ademen van de neus zonder klemmetje. Het was alsof op het ritme van het ademen ook het lichtje sterker en zwakker werd. Vogelaar trachtte al starend naar het andere eind van de schemerige kamer dit vast te stellen en merkte dat er opeens een toontje in de ruimte hing, een oe-geluid, overal zacht uitgespaard, en het was alsof alles er een beetje bruiner en roder van werd. Oe... oe... een bijna jolig geluid, soms even omsnurkt door Ma en omkreund door Chel. Ook iets pijnlijks school erin, alsof Ma pijn had, een gezellige wat slaperige pijn. Maar de geluiden zwollen... hij vond het jammer maar het was zo, te veel oe...-oe-geluiden als werd Ma geplaagd door weeën.

Ze nam volledig bezit van de kamer, Chel had de strijd opgegeven en plukte in de diepte nog wat aan het kleed.

'Waar zouden op dat ogenblik Puck zijn en de Here Jezus,' soesde Vogelaar, 'stonden ze naast elkaar naar boven te kijken in het lantarenlicht voor de deur, zoals hij eens met Ferwerda?' Hij huiverde even.

Achter de barensweeën lag Ma in de hinderlaag, stil en waakzaam, hem kon niets gebeuren. Nu merkte hij wat beweging daar in de stal, gefluister ook. Hij boog zich voorover, oe... oe... broertje?... moedertje...? Hij luisterde, het oor scherp ingesteld op woorden en het deed hem vreemd genoeg denken aan het moment dat hij uit de trein was gestapt. De warmte streelde zijn knieholten, hij geeuwde langzaam en moeizaam, zonder geluid. Bij de kast stond een man. Vogelaar staarde verwezen in het schemerdonker, opeens merkwaardig moe en rustig en met een gevoel of hij de rust evenzeer bekeek als de man daar voor hem, die op de grens van het nog net zichtbare zich voorzichtig de handen wreef. Erg moe voelde hij zich, maar ook vol van een grote dankbaarheid voor de nu en dan nog snikkende en zuchtende vrouwen, dankbaar en mild, zoals wanneer men diep en droomloos heeft geslapen en in de ochtend voor zich uitstaart, nog maar half in de dag en toch al gelukkig met alles wat naar voren wil komen.

De man stond daar verlegen en hij wreef zich de grote vierkante handen met trage Pilatusgebaren. De schouders hield de man iets opgetrokken, het hoofd wat scheef wat te zien was aan het baardje dat als een klein zwart pijltje niet naar de voeten wees, maar in de richting van de donkere vlek in zijn zijde. Op het voorhoofd droeg hij een schram, zonder druppeltjes maar zo helder rood alsof hij daar was aangebracht door een kitschschilder. Een bedremmelde man was het vond Vogelaar na enig nadenken, zo'n man die moeizaam naar woorden zocht en zich in zijn houding verontschuldigde voor de tijd die hij daarvoor nodig had. Het kleed dat zich in vage plooien overal om de man heen met de schemer vervlocht, had een zachte groene glans als een aquarium en Vogelaar dacht aan de musea, aan de stilte en de ruimte binnen in de schilderijen, die ruimte die geen gewone ruimte was, maar die zich steeds dieper in zichzelf wrong tot men er ten slotte voorzichtig bij tegen het achterhoofd moest drukken.

Ja, bedremmeld wies de man zich de handen alsof hij zijn wonden daar zowel wilde tonen als verbergen. De ogen die naar de grond staarden in de richting van de kachelgloed lagen diep in de kassen en waren schoon en zacht zoals bij paarden en hazen. Hulpeloze, vriendelijke ogen... Vogelaar slikte en dacht na, dat wil zeggen hij zag de woorden voorbij glijden, naast elkaar, achter elkaar... u lijkt op Alva... medelijden... dat is het, ik had altijd medelijden met u, ook met Alva trouwens, de hele klas had de... had een hekel aan hem.

In de keuken snorde een ketel op het vuur, lieve zorg, stoomsliertje boven de roerloze eenzame vaat in het donker.

'O Heer,' zei Vogelaar, naar de storende rode voorhoofdschram kijkend, 'bemin mij... bemin mij geweldig, vaak en lang. Hoe vaker, des te reiner word ik, hoe geweldiger, des te schoner... heiliger...'

De man schoof wat meer in elkaar en waste zich geluidloos de handen, de grote plompe boerenhanden, een beetje hulpelozer misschien en de woorden cirkelden over elkaar heen en tussen het groengeel van de knuisten.

'Dat ik je liefheb is toch eenvoudig,' prevelde Vogelaar, 'ik kan niet anders, ik ben immers de liefde zelf en dat komt allemaal van mijn begeerte, want ook ik begeer dat ik geweldig word bemind, en lang... ben ik niet eeuwig en zonder einde?'

De man staarde goedig en gebogen voor zich uit, maar zijn hoofd zakte dieper weg tussen de schouders alsof hij vreesde te worden geslagen.

Vogelaar knipperde met de ogen, een tijdje had hij getracht dat knipperen tegen te gaan omdat hij dat riskant en gevaarlijk vond, maar opeens kon hij niet anders en terwijl hij daar zo stond met knipperende en tranende ogen merkte hij dat hij voorzichtig de bewegingen nadeed van de man, het zachte verontschuldigende handenwassen, het bedremmelde wrijven. Hij voelde hoe zijn handen elkaar raakten, elkaar streelden.

'Ik zie niets, ik hoor niets en ik ben helemaal koud,' jammerde Chel zachtjes van de vloer, 'ach wat ben ik toch koud, is ie voor de bakker Cor? Is ie nou voor de bakker?'

Daar waren de vrouwen weer in de stal waar de afkeer van elkaar tot een warm gemeenschapsgevoel was verheven. Het bleef even stil, daarna zei Ma met rustige stem: 'Doe het licht weer aan Dee.' Vogelaar bewoog even de arm om het tegen te gaan maar hij voelde zich opeens te moe en te lamlendig om iets te doen of te roepen. Hij vroeg zich af of hij de enige was geweest die de man had gezien. Chel niet, Dee zeker niet, die bewoog zich serviel maar heiligschennend door de hoek waar de man had gestaan en knipte de lichten aan. Chel zat op de grond als de gewonde en stervende Galliër: steunend op een arm, de kleine witte benen half onder zich, de mond smartelijk wijd open.

Nieuwsgierig gluurde hij naar Ma, ze zat voorover gebogen in de stoel, de grote witte handen in de schoot, de ogen tot spleetjes om het licht en een ogenblik meende hij dat ze lachte.

In de hoek begon de oude weer te smikkelen, het was voor geruime tijd het enige geluid dat in de kamer klonk, een blikkerig geluid vol slijm en speeksel. De oude hield de dijbenen gespreid, het roze breiwerkje lag op de bolle buik met vonkende en stekende pennen, de knooplaarsjes wezen naar buiten, de handen met de gespierde vingers rezen en daalden rustig naast het werkje op de buik. Er ging een verschrikkelijke rust van de man uit.

'Verleden jaar heeft hij nog een beroerte gehad,' zei Ma alsof haar was gevraagd waarom de man daar zo luguber rustig zat, 'sindsdien is zijn verstand verduisterd.'

Ze stond moeizaam op. Vogelaar zag haar borsten nu bijna geheel vrij hangen, de grote naar voren hangende buik onder het dunne hemd, de zwarte schaduw van de navel. Naast haar heup het in de strijd verwoeste gezichtje van Chel: gevlekte radeloosheid, met poeder en lippenrood besmeurde wanhoop. Het maakte zich los, zweefde op hem toe met alle verwijten ter wereld. Hij bewoog de handen alsof hij al bezig was het gezichtje glad te strijken, schoon te vegen. Wat nog te zeggen? Onmacht om de lippen, onmacht in de handen. Arme sodemieter... arme donder... Ik kon het niet helpen, verdomd niet... Het lag in het ziekenhuis Ma, dat gezicht daar, ellendige bezoeken zijn dat, alles op de tenen en met geknepen billen. Ik zag enorm tegen die bezoeken op, want het zag dwars door me heen en altijd schaamde ik mij. Wat doet een mens in zijn zenuwen... ik liet de brief achter op het tafeltje naast het bed, samen met de sinaasappelen, de druiven, de chocolaatjes, ik zie het nóg voor me maar het ging heus per ongeluk. Er stond van alles in die brief, wat dacht je... een brief aan een tante godbetert... dat ze nooit meer beter zou worden en zo... en hoe het verder moest allemaal... Nou en die brief heeft ze gelezen, dat verzeker ik je, die heeft ze gelezen... en dat werd op slag een kamertje apart... en planken om het bed 's nachts... Dat zou Puck nooit gedaan hebben, hè Ma...? Hij blubberde en slurpte, boehoe... veegde met de knuisten in de ogen, boehoe... hè Ma...?

Ma wees naar de oude slaper. 'Ik zal hem inwijden,' sprak ze grijnzend. Met de voet schoof ze de laarsjes naar elkaar zodat de dijbenen van de oude heer ook dichter bij elkaar kwamen en kroop op de schoot.

Het breiwerkje gleed op de grond, een bol wol in de kamer schokte even op. Alles kreeg iets van een uitgelaten maar heel traag familiefeest. De oude lodderde en knikte in zijn slaap, bij zijn mond hing opeens een sliert kwijl. Ma die zich met moeite op zijn knieën in evenwicht hield en voortdurend tussen de dijbenen op de grond dreigde te zakken, streelde hem met sierlijke gebaren. Daarna trok ze zijn das scheef, maakte zijn geplakte haren in de war, knoopte zijn vest los en kuste hem.

De oude sliep, zijn hoofd viel dan eens wat naar links, dan weer wat naar rechts, maar hij sliep en de grote, krachtige handen met de harige vingers hingen naast de stoel.

'Kijk,' zei Ma, haar ogen spottend en helder, 'hij ligt al tussen de bloemen.'

'Hoort dat erbij?' vroeg Dee Ferwerda met onzekere stem.

Vogelaar wreef nog wat tranen over zijn wang en keek. Ma begon de oude nu te knijpen: zijn borst, zijn dikke dijbenen, zijn genitaalstreek, maar de oude heer, hoewel met kleine scheutjes ontwakend, kwam niet verder dan zijn ontzettende, blikkerwitte glimlach.

'Misschien heeft hij weer een beroerte gehad Cor,' zei mevrouw Ferwerda bezorgd.

'Hij is niet rood,' zei Vogelaar moeilijk, 'ik heb gehoord dat je dan rood wordt.'

'Nu de Satan is geklonken mogen de wetten bekend worden gemaakt,' zei Ma somber. Ze spuwde langzaam op de vloer, 'in al mijn reïncarnaties ben ik offer geweest.'

Met een vrijhangend been begon ze schoolmeisjesachtig te wippen, daarna trapte ze zorgvuldig het speeksel in het tapijt. 'Een vrouw staat altijd in het offer... Maria, Sara, Jeftha's dochter, alvrouw van koning Salomo, Jeanne d'Arc.'

'Het stenen hart van de wereld moet gebroken worden,' zei mevrouw Ferwerda, 'en dat is zo.'

Ma stond steunend op en krabde zich schaamteloos de lendenen.

'Wanneer de duivelse afvalstoffen eenmaal zijn opgeruimd,' zei Chel die kwiek opkrabbelde en zich krachtig in de kleren schurkte, 'dan kan de eeuw van Christus beginnen.' Het klonk merkwaardig droog en oppervlakkig als betrof het hier een huishoudelijke aangelegenheid. Daarna gaapte ze uitgebreid en rommelde tussen de roze verwarde krullen.

Ma keek koeltjes naar Chel. 'De eeuw van Christus kan beginnen,' sprak ze en het klonk als een scherpe terechtwijzing, 'in *mij* zijn de geweldige krachten van het geloof... de geweldige...' Ze keek inspiratie zoekend om zich heen, het gelaat grof en ontstemd.

'Ma,' zei Vogelaar smekend en hij deed aarzelend

een stapje naar voren.

Ze keek hem even aan, de ogen klein en hard. 'Kom,' zei ze, met de schouders rukkend, daarna schreed ze door de kamer, opende de deur en trad in het duister. Binnen de omlijsting van de deur zag hij haar rommelige rug in de peignoir.

'Ze bewoog,' sufte hij, 'wat een energie, dat had iets angstigs...'

In het gangetje ontstond wat gedrang; trage ronde bewegingen als in een nest jonge honden die onophoudelijk naar meer warmte zoeken. Uit de mompelende kluwen kwam de stem van Ma: 'Ik kan hier geen hand voor ogen zien, waar is die deurknop.'

Vogelaar die nog steeds sullig stond te kijken, kwam in beweging. Een deurknop... hij had het meisje naar bed gebracht, dáár mocht niets mee gebeuren, dat had hem de hele avond een gevoel van warmte en veiligheid gegeven met veel mogelijkheid tot nachtelijk gemijmer. Als ze dat wurm wakker zouden maken... dat zou heiligschennis zijn...

Toen hij zorgelijk haar kamertje betrad stond Ma al tegen de muur die blauwig schemerde tegenover het bed. De armen hield ze wijd, de vingers gespreid, het gezicht omhoog als een geweldige vogel die ieder ogenblik het luchtruim kon kiezen. Om haar heen, dicht tegen haar aan stonden de ronde, armloze gestalten, schaduwrijk en devoot.

'Kom Ma,' zei hij schor, 'laat haar nou slapen, toe...'

Ma gaf geen antwoord, het bed was stil. Vogelaar huiverde alsof hij opeens samenviel met iets waar hij als de dood voor was. Wat gebeurde was onvermijdelijk en hij wist het.

'Zij slaapt,' begon Ma. Hij hoorde haar stem heel dichtbij in het schemerdonker, een stem diep vanachter de peignoir, helemaal vanuit de navel opgetrokken, dát moest de waarheid zijn.

'En zij is niet de enige, wat er om haar heen gebeurt

gaat haar ongemerkt voorbij.'

Vogelaar knikte in het donker en zuchtte. De vrouwen ritselden. Steeds meer kon hij van de kamer ontwaren: aan de muur boven het bed hingen wat platen, het meisje lag op de zij, het gezicht naar de muur gekeerd en hij kon de ronding van haar heup duidelijk zien.

'Wie slaapt is onbewust van het leven en verwacht niets,' zei Ma zacht, 'en er zijn veel slapers, van het grote gebeuren nemen zij geen kennis.'

'Misschien,' dacht Vogelaar, 'die kant kan het ook op, niet te hard praten en dan op de tenen weg.'

'Mensen zonder verwachting,' zei Ma met stemverheffing.

Vogelaar hoorde de grote handen schuiven langs de muur.

'Maar er is iets dat de mens nóg beklagenswaardiger maakt... wanneer er geen contact met God is... en men Gods grootste zegen niet verwacht...'

De stem was toonloos maar vol dreiging.

'Maar de mensen slapen.'

Vogelaar waste zich de handen.

'Gelukkig dat er een blijde verwachting mag zijn,' galmde Ma, 'nu Jezus kwam om het eenzame hart te zoeken... te troosten...'

Het meisje in het bed bewoog even, lag roerloos en draaide zich toen met een ruk om.

'Te redden,' zei Ma die een witte arm op en neer bewoog.

Hij hoorde de adem van het meisje fluitend naar binnen gaan, de benen schieten en trappelen onder de dekens. Haastig deed hij een stap naar voren, even struikelend over een mat: 'Rustig maar... ik ben het... maak je maar geen zorgen. We kwamen alleen maar even...' Hij tastte naar haar hoofd ergens onder de strak gespannen dekens.

'Is hier geen licht,' riep hij met trillende stem.

'Daarvan getuigt het kerstevangelie,' riep Ma triomfantelijk, 'Jezus kwam als gave van Gods liefde...'

Hij klopte op het trillende en schokkende bundeltje, nu en dan even troostrijk wrijvend.

'Gij kunt u wel onttrekken...'

'Kijk maar gerust,' zei Vogelaar dicht bij de dekens, 'kom nou, je bent toch een flinke meid.'

'Jezus komt steeds weder,' klom de stem verder de hoogte in, 'ik heb de kracht om te wekken... daarom zeg ik... mijn kind, mijn kind, *gij zijt genezen...* dat zeg ik.'

'Hoor je wel,' fluisterde Vogelaar, 'het is gewoon Ma.'

De vrouwen schuifelden verward in en uit elkaar, hun schaduwen versmolten tot een vlek zwarte, amoebachtige beweging. 'Een wonder... o mijn lieve God... hoor je Magda?... gij zijt genezen...' Het was de stem van Chel vol jubelende dankbaarheid. 'Wat een avond... wat een heerlijkheid...'

'Dit moet toch haar achterhoofd zijn,' dacht Vogelaar, 'en dan zitten dáár haar oren.' Hij wreef en voelde in zijn nervositeit overal oren maar opeens grepen zijn gretig zoekende handen elkaar.

'O Magda toch... we wisten dat je *sterven* moest... maar nu... o mijn God, mijn God... een wonder... wie Jezus niet verwacht die zal Hem ontmoeten...'

'Lieve Heer,' bad Vogelaar, 'waar zijn nou toch haar oren,' maar tot zijn verbazing zag hij opeens het bleke gezicht ver naast zijn handen in het schemerlicht. Waar had hij dan al die tijd zitten kneden en knijpen? Maar daar was zij; een wit maangezicht met drie zwarte holten... ze moest de mond wel heel wijd open hebben.

'Bedenk toch kind... sterven moest je... er was iets met je bloed... niets wilde helpen dat van deze wereld was... O Cor, o Cor,' zong Chel jubelend, 'laat ons je zien lief kind... laat ons je zien.'

Vogelaar klopte zachtjes nog wat na ergens op een pyjama, maar het huilen werd steeds heviger: reeksen lacherige geluidjes met nu en dan een grote slurp. Hij wreef en streelde nog wat maar eerst toen hij zei: 'Bén je gek... jij gaat helemaal niet dood,' wist hij dat er iets vreselijks gebeurd was.

Hij ging aarzelend rechtop staan, een hand hield hij nog even op het schokkende lijfje.

'Verdomd,' zei hij toen hardop, 'dat moet Ma dan maar in orde maken.'

Toen hij de kamer uit liep struikelde hij weer even over de mat. De vergeten oude in het andere vertrek sliep en glimlachte teder naar zijn buik die maar niet op wilde houden met ademen.

Willem Brakman *Het zwart uit de mond van Madame Bovary*

Leo de Haes in *De Standaard:* 'De roman is feilloos gecomponeerd in sterk gecondenseerde deeltjes, vaak met contrapuntische werking.' 'Op een onnavolgbare wijze heeft hij zijn eigen thematiek, zijn enorme belezenheid, het boek van Flaubert en de betekenis van Madame Bovary tot één gloeiend, lekvrij smeedwerk gevormd.'

Fernand Auwera in *De Nieuwe Gazet:* 'Na nauwelijks twee alinea's zat ik tot over mijn oren in het boek. Ik ken weinig auteurs die er zo'n direct aansprekende stijl op na houden als Willem Brakman. Zijn sfeerscheppend vermogen is groot, zijn beeldspraak altijd origineel en spits onthullend. Ik weet beslist dat ik na het lezen van deze roman een tekst van Brakman onmiddellijk zal herkennen, en dat is nogal eens andere koek dan gecharmeerd worden door de koele "taalvirtuositeit" waarmee zoveel andere schrijvers toebedacht worden.' 'Een zeer droef, geestig én wijs boek.'

Gabriël Smit in *de Volkskrant:* 'Ook dit nieuwe boek is een ondubbelzinnig bewijs van zijn opmerkelijke literaire kunstenaarschap.'

Willem Brakman *Kind in de buurt*

Het zat allemaal niet meer zo mee voor de kunstenaar Jan Oud, hij was wat vereenzaamd de laatste tijd, de gloed van zijn jonge jaren was gedoofd en zijn knoken voelden als glas. Door de muze werd hij nog maar zelden bezocht, zijn nageslacht deed zijn borst niet zwellen en in de dood berusten, het uitzicht werd kleiner en kleiner. Tot er iets onverwachts gebeurde; hij kwam weer tot leven, waarachtig, het begon allemaal weer te stromen om en in Jan, hij zag weer kleur en lijn, het had weer zin om ergens over na te denken, om zich heen te kijken, want vanuit alles kon zijn meesterwerk hem aanstaren. Zijn hand, eertijds zacht en krachteloos, werd weer de hand van een maker en hij kon, wat zeer belangrijk was, het kleine weer vergroten. Er ontwaakte veel in hem; zijn gif, zijn rancune, zijn tederheid, egoïsme, haat; het was een herrijzenis om vreugde aan te beleven. Alleen, hij bleef zich wel eenzaam voelen en dat viel tegen. Het was een koud gevoel ergens bij de ruggegraat en diep in de buik, daar waar het bij andere mensen juist zo warm is. Er dreef ook veel mee in de creatieve stroom wat niet ter zake deed, zoals bij voorbeeld een lief vermoord meisje dat maar om hem heen bleef kolken en draaien. Toch nog een perversie zo laat op de avond? Lag zijn toekomst in de bosjes, betrapt door buurtbewoners, opgespoord, aangehouden, voorgeleid, in verzekerde bewaring gesteld? Wie weet – maar een beetje warm werd hij er wel van, precies op dat plekje. Daar lag ook troost en hoop, maar dan van een andere orde. Hij verdiepte zich in de moordenaar die toen wel heel erg warm moest zijn geweest, hij gunde hem wel en hij gunde hem ook weer niet de moord, hij speelde hem, leende hem even uit een droom, was hem. Een warm gevoel maar gesmokkeld, begeerte, zeker en helaas, maar ook iets van deernis doemde op in de verte. Een wat krachteloos, ouderwets woord dat niet zo makkelijk is te vervangen. Aan de echtheid is hij dan ten gronde gegaan, niet aan die deernis want die kon hij niet opbrengen maar aan de echtheid van zijn verdriet over dat onvermogen.